小説 弱虫《よわむし》ペダル

弱虫ペダル⑫ 目次

登場人物《とうじょうじんぶつ》

今泉俊輔《いまいずみしゅんすけ》

自転車競技《きょうぎ》に命をかける、毎日ストイックに走り続ける高校一年生。中学時代は県内《けんない》でも有名なレーサーだった。坂道の走りに関心《かんしん》を持っている。

小野田坂道《おのださかみち》

ママチャリで往復《おうふく》九十キロの秋葉原《あきはばら》への道のりを毎週欠《か》かさず通う高校一年生。自転車に自分の可能性《かのうせい》があるなら、と千葉県《ちばけん》一強い自転車競技部《きょうぎぶ》に入部する。

鳴子章吉《なるこしょうきち》

自転車と友だちを大事にする関西《かんさい》出身のレーサー。浪速《なにわ》のスピードマンの異名《いみょう》を持つ高校一年生。坂道のよきアドバイザーでもある。

総北《そうほく》高校自転車競技部《きょうぎぶ》 三年生

主将《しゅしょう》 金城真護《きんじょうしんご》

田所 迅《たどころ じん》

巻島裕介《まきしまゆうすけ》

箱根学園《はこねがくえん》自転車部

新開隼人《しんかいはやと》

主将《しゅしょう》 福富寿一《ふくとみじゅいち》

真波山岳《まなみさんがく》

泉田塔一郎《いずみだとういちろう》

東堂尽八《とうどうじんぱち》

荒北靖友《あらきたやすとも》

京都伏見《きょうとふしみ》高等学校

御堂筋 翔《みどうすじ あきら》

石垣光太郎《いしがきこうたろう》

前回までのあらすじ

全国の高校《こうこう》自転車部《じてんしゃぶ》が栄《えい》かんをめざすインターハイ。レースはいよいよ最《さい》終日《しゅうび》三日目の勝負どころ、後半戦《こうはんせん》をむかえた。くせものチーム、広島呉南《ひろしまくれみなみ》のかつやくでレースは波乱《はらん》の展開《てんかい》に。かれらがかきまわしたことによって、われらが主人公で総北《そうほく》一年のルーキーレーサー小野田坂道《おのださかみち》は、地をはう大蛇《だいじゃ》にのみこまれるように、チームから〝はぐれて〟しまった。優勝候補《ゆうしょうこうほ》の箱根学園《はこねがくえん》と総北高校はチームが分断《ぶんだん》されてしまい、大ピンチをむかえるが、箱根学園三年の荒北靖友《あらきたやすとも》がリーダーシップをはっきした。大集団《だいしゅうだん》の中で身動きがとれない中、箱根学園の一年・真波山岳《まなみさんがく》と坂道とで急きょ〝協調《きょうちょう》〟する作戦を取る。経験《けいけん》があさく、お荷物になりかねない一年生二人を混乱《こんらん》からつれ出すと、広島呉南とのバトルにもみごとに勝利《しょうり》した。三人は、先頭争《あらそ》いをする福富《ふくとみ》（箱根学園）、金城《きんじょう》（総北）、御堂筋《みどうすじ》（京都伏見《きょうとふしみ》）のところまで、再合流《さいごうりゅう》をめざして、めいっぱいペダルをふんでぶっ飛ばしていた。

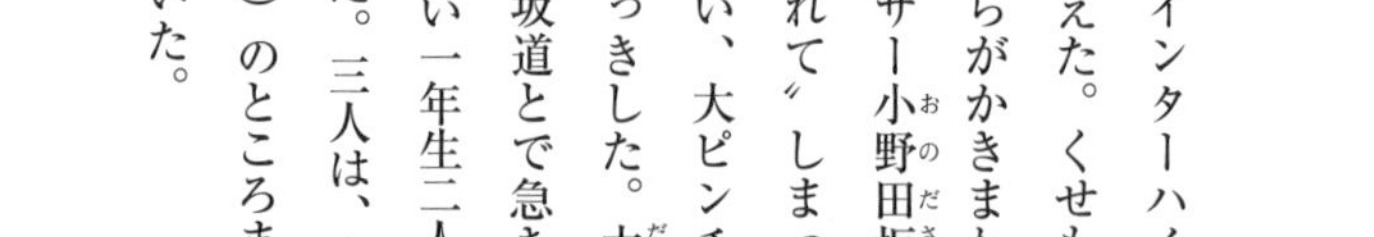

はじまる前に

この巻《かん》は、インターハイ三日目のレースが始まって、半分をすぎた場面から始まります。本作での自転車の高校日本一を決めるインターハイの流れは、

・三日間かけて行われる。
・毎日、朝にスタートして、夕方前にゴールする。
・一日目は、江《え》ノ《の》島《しま》から百二十台がいっせいにスタート。
・次《つぎ》の日からは、前日のタイム差《さ》の順《じゅん》に、秒数《びょうすう》をあけてスタート。
・とちゅうでこけて、ケガをして走れなくなったらリタイアになる。
・三日目の最後《さいご》のゴールでトップだった学校が総合優勝《そうごうゆうしょう》。
・ゴールをねらうのは、各チームの最強《さいきょう》選手「エース」。

これらを頭のかたすみにおいておけば、インターハイがより楽しめるよ。

本書は、秋田書店刊の『弱虫ペダル』をもとに小説化したものです。文章化するにあたり、台詞など一部改めています。

第一章

脱落者《だつらくしゃ》

再会《さいかい》

ハァ、ハァ、ハァ、ハァ、ハァ、ハァ、ハァ、ハァ、ハァ

「チッ。あいつ、どこを走ってるんだ。大蛇《だいじゃ》にのまれたまま……行方不明《ゆくえふめい》に……なったか」

今泉俊輔《いまいずみしゅんすけ》は悪い予感《よかん》をふき飛ばすように、首をふった。

彼《かれ》は、レースの先頭を風を切って走っている。さすがに、つかれがたまってきた。しんぼうのしどころだ。

インターハイは最終日《さいしゅうび》の三日目。半分をすぎて、優勝争《ゆうしょうあらそ》いがしぼられてきた。必死《ひっし》でペダルをふむ先頭集団《せんとうしゅうだん》は、今泉が金城真護《きんじょうしんご》を引く総北高校《そうほくこうこう》と、昨年《さくねん》の優勝王者《ゆうしょうおうじゃ》・箱根学園《はこねがくえん》。

そのときだった。今泉は、うしろからなにかが近づく気配を感じた。

なにかが少しずつ、せまってくる。

？

「お、おそくなりましたが、先頭に合流しました‼」

むじゃきな明るい声がした。

声の主は、小野田坂道《おのださかみち》だった。

今泉は、

「小野田‼」

とすぐにふり向いた。

お、小野田……やっぱり、追いつきやがった！

と今泉は心の中でよろこびながら、ならびかけてきた坂道の肩《かた》に手をおいた。

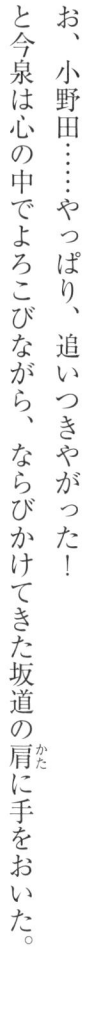

同時に主将《しゅしょう》の金城《きんじょう》も坂道の肩《かた》にギュッと手をおいた。今泉《いまいずみ》はつかれがふき飛ぶほどうれしかった。

小野田、おまえが集団《しゅうだん》にのみこまれたあと、そのまま、もう会えないと思っていた。

まさか、先頭まで追いついてくるとは……どれだけ力を出したのか。

坂道には、今泉が満面《まんめん》のえみをうかべているのが見えた。今泉ごしに大きな富士山《ふじさん》が見えている。

夏の日ざしが、キラキラと坂道のあせをひからせる。

坂道は、先頭よりタイムで十五分ほどおくれていたが、なんとか追いついたのだ。

いろんなことが起こるのがレースだ。

とはいえ、坂道のデビュー戦《せん》は、もりだくさんすぎる。落車《らくしゃ》※からの百台ぬきで復活《ふっかつ》、そして、〝大蛇《だいじゃ》※の集団にのまれて〟からの復活。坂道は二度も立ちなおったのだ。

ちょうどそのとき、一方の箱根学園《はこねがくえん》もりもりあがっていた。

集団にのみこまれて、これまた〝行方不明《ゆくえふめい》〟になっていた荒北靖友《あらきたやすとも》が、飛ばしに飛ばして箱根学園に合流したのだ。

青いジャージがふえた。

「やけにかかったな、靖友！」

じょうだんっぽく言ったのは新開隼人《しんかいはやと》だ。

※落車からの百台ぬき…『小説《しょうせつ》 弱虫ペダル』第6巻参照《かんさんしょう》

※大蛇《だいじゃ》の集団にのまれて…『小説 弱虫ペダル』第11巻参照

この合流劇《ごうりゅうげき》のヒーローは、だれがなんといっても荒北《あらきた》だ。
一年生を二人、それも一人はライバルチームのクライマー・坂道を混乱《こんらん》の中から〝驚異《きょうい》の鬼脚《おにあし》〟で引っぱって、先頭までつれてきたのだから。

そのとき、ゼッケン番号1、主将《しゅしょう》の福富寿一《ふくとみじゅいち》が、荒北とタッチをしようと手をのばしてきた。
荒北はそれに気づくと、
「ハ‼ つーか、いちいち注文がキッツすぎなんだヨ、福《ふく》ちゃん‼ フシギちゃんをつれもどすなんてな‼」
と、いかり調子《ちょうし》で言った。

バシッ‼
同時に福富の手を、力いっぱいたたいた。

「ああ‼　おまえならやれると思ってたからな‼　荒北《あらきた》‼」
「ハ‼」
荒北はまんざらでもないかんじだ。
それをそばで見ている〝フシギちゃん〟こと真波山岳《まなみさんがく》も、うれしそうに顔をほころばせた。

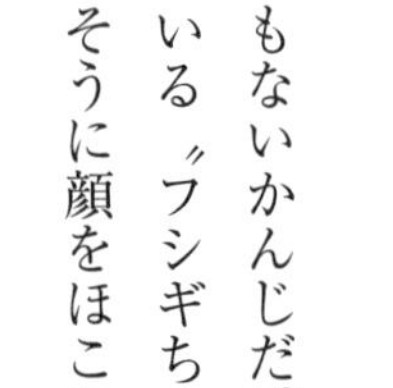

そして次にやってきたのは、黄色、青、黄色、青の総北《そうほく》と箱根学園《はこねがくえん》の連結車両《れんけつしゃりょう》だった。
※〝協調《きょうちょう》〟している。
田所迅《たどころじん》（総北）、泉田塔一郎《いずみだとういちろう》（箱根学園）、巻島裕介《まきしまゆうすけ》（総北）、東堂尽八《とうどうじんぱち》（箱根学園）、鳴子章吉《なるこしょうきち》（総北）の五人だ。

ハッ、ハッ、ハッ、ハッ、ハッ、ハッ、ハッ、ハッ

※協調《きょうちょう》…チームのかべをこえて協力しあうこと

息《いき》をそろえて、一丸《いちがん》となって近づいてくる。

箱根学園と総北高校の〝ドリーム列車〟が、一気に坂を登って先頭に合流してきたのだ。

力強くペダルをふんで、全力疾走《ぜんりょくしっそう》してきて、くたくたなはずだが、顔はわらっている。


「待たせたな、金城《きんじょう》ぉ!!」

追いついた田所がさけんだ。

「ショオ!!」

巻島も金城にあいさつする。

金城が「巻島、田所!!」とふり返る。

坂道も思わず「鳴子くん!!」と声をあげた。

鳴子《なるこ》が、

「チーム六人全員、そろたで!!」

と力強く言った。

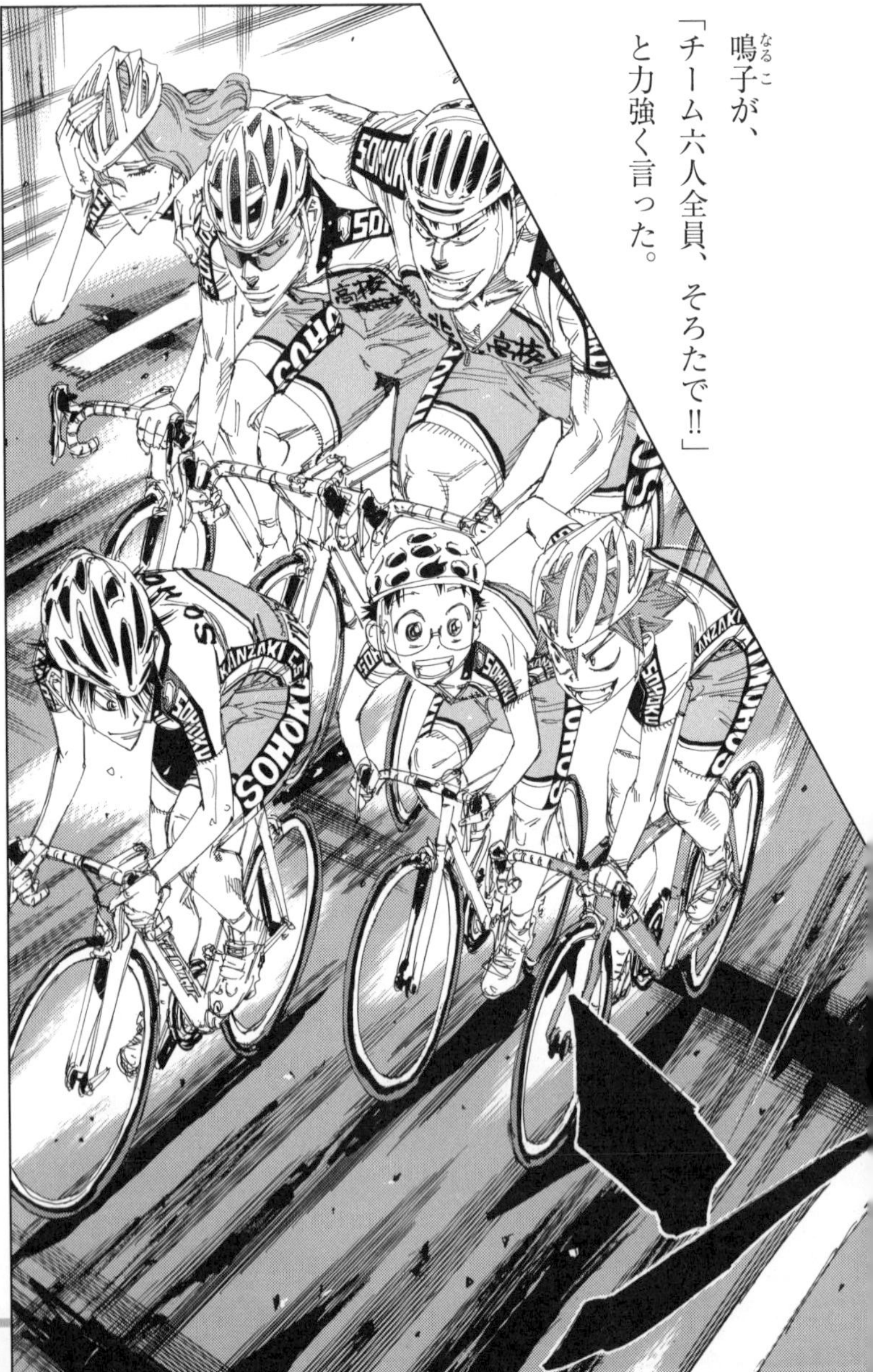

広島呉南《ひろしまくれみなみ》の作戦《さくせん》にバラバラにされてしまった総北《そうほく》の自転車は、ここに六台全部がふたたびそろったのだった。

総北は田所が
「代わるぜ、今泉《いまいずみ》」

と言って、そのまま先頭に出た。

そして、

「見えた、給水所《きゅうすいじょ》だ！」

という声で、再会《さいかい》をよろこぶ時間は終わった。

御堂筋《みどうすじ》の予言《よげん》

給水所では、総北をうしろでささえる二年生の補給部隊《ほきゅうぶたい》、手嶋《てしま》純太《じゅんた》が、給水のじゅんびをぬかりなく進めているところだった。

黄色い集団《しゅうだん》が見えると、とたんに満面《まんめん》にえみをうかべて、大声をあげた。

「見ろ、そろってるぞ‼ うちのチーム、みんな‼」

「一、二、三、四、五、六、全員います‼! ああああああ‼! ボクは信じてましたよ、ボクは‼」

手嶋《てしま》の横で、手伝《てつだ》っている杉元照文《すぎもとてるふみ》が、うるうるとなみだ目になっていた。杉元は補欠《ほけつ》で、同じ一年生の今泉《いまいずみ》や鳴子《なるこ》や坂道ががんばっているのがまぶしくてしかたない。

「さぁ入ってきた。わたせ！」

手嶋の合図でサコッシュをわたす。

サコッシュには、水のボトルや補給《ほきゅう》食《しょく》が入っている。

スピードをさほど落とすことなく、田所、今泉、巻島《まきしま》、金城《きんじょう》、鳴子、坂道の六台が次々《つぎつぎ》にサコッシュを受け取った。
「がんばってください」
選手《せんしゅ》たちに声をかける。

その様子を見た観客《かんきゃく》が
「すげー!!　そろってるよ、総北《そうほく》!!」

とこうふんして、さけんだ。

「今年のインターハイはマジでヤバい!!」

主将《しゅしょう》の金城は手にしたばかりの水をごくりと飲んだ。

そして、

「いよいよだ、ここから後半戦《こうはんせん》だ」

とメンバーにハッパをかけた。

田所が、

「命がけの闘《たたか》いになるぜ!!　ここからが本当のレースだぞ。

ついてこい一年!!」

と言うと、今泉、鳴子、坂道の一年生トリオが

「はいな」

「はい‼」

と大きく返事をした。

巻島《まきしま》も「ショオ‼」とこたえる。


手嶋《てしま》たちはそのうしろすがたにせいえんを送る。

「ファイトです、総北《そうほく》ゥーーー‼」

「いっけーーっ、ソーホクゥーーー‼」


総北に少しおくれて、箱根学園《はこねがくえん》も補給完了《ほきゅうかんりょう》。

そのタイミングで福富《ふくとみ》が声をあげた。

「全員そろった……。とるぞ、総合優勝《そうごうゆうしょう》……‼箱根学園、始動だ‼」

とサコッシュをつかむ手に力を入れた。

「おお」

箱根学園のメンバーも心を一つにした。

荒北《あらきた》はチラリとうしろをふり返った。むらさきジャージの二台が目に入った。

うしろは……どうだ……？

京都伏見《きょうとふしみ》は二人。御堂筋《みどうすじ》と石垣《いしがき》だ。

たのみの広島呉南《ひろしまくれみなみ》が追いつかなくて、アテがはずれたか!?

荒北は京都伏見の心のうちを予想《よそう》した。

京都伏見の石垣は、前を走る青と黄色のジャージがふえていくのをうしろから見ていた。

自分たちは、広島呉南と合流し、チームのかき根をこえて、いっしょに先頭をつっ走る予定だったのに、うしろからだれも来る気配がない。

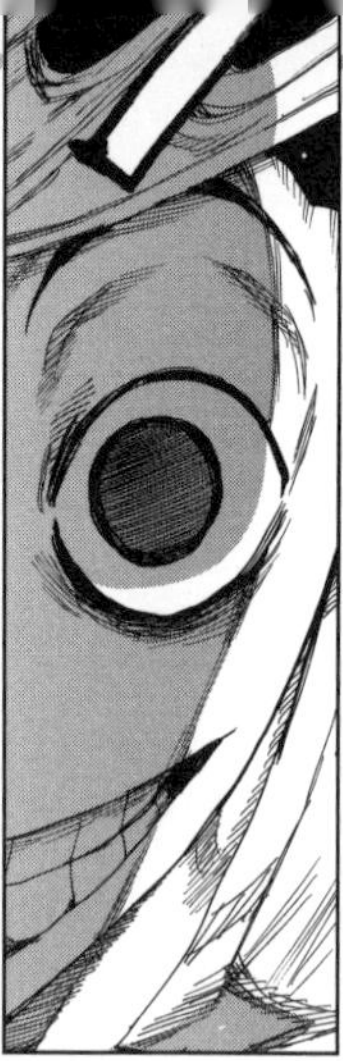

石垣《いしがき》は、悪い考えをおいはらうように、水とうの水を頭からザバッとぶっかけた。

そして、少し心細そうな声で、御堂筋《みどうすじ》に話しかけた。

「ひょっとして御堂筋……、広島《ひろしま》は……、たのみの広島は追いつかないのやないんか。総北《そうほく》も、ハコガクも六人そろった。それなのに、オレたちはたった二人で――」

石垣に引かれてうしろを走る御堂筋は、意外や意外、のんびりとしていた。

「いいんやないの？　追いつかんかったということは、ソレマデのヤツらやったということやろ」

み……御堂筋……!?

御堂筋の腹《はら》のすわった声に、石垣はドキッとした。

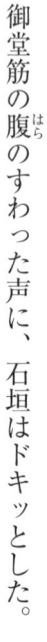

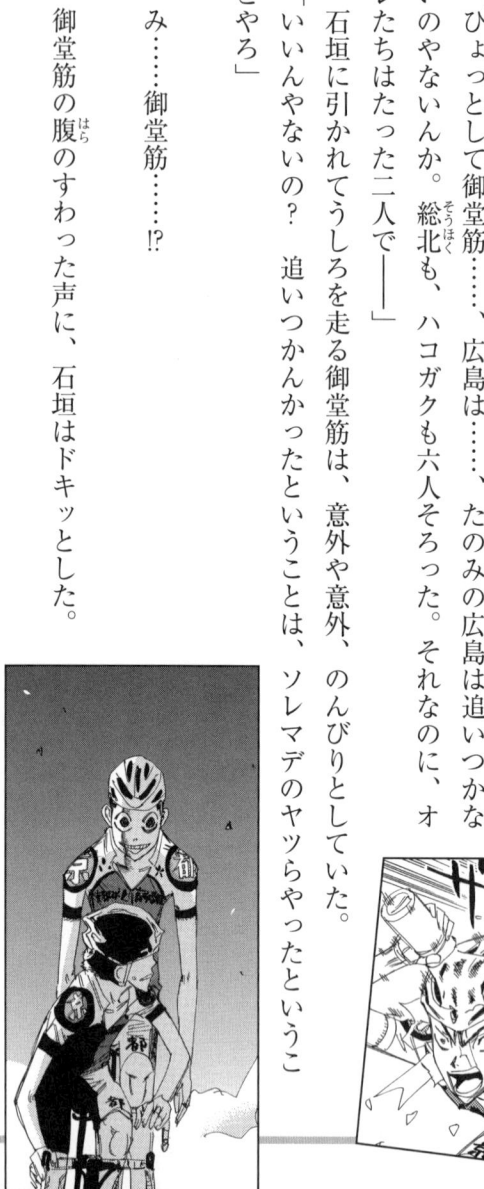

「じゅんすいに勝利をもとめてないヤツらやったということやろ。
そんなのは、たとえ追いついても戦力《せんりょく》にはならん。だったらいらん」

こんなに不利《ふり》になってしまっても、御堂筋はまるで動じていない。

「心配せんでええって。ププ。石垣くぅん、
今日は三日目……最終日《さいしゅうび》……しかもレースは残り……半分。
本当の意味でのサバイバルや。
そしたらな、ゴールまでチームメイト全員を運ぶひつようなんてない……。
チームは身をけずりながら走る。
どれほどメンバーがそろっとっても、一人、一人、また一人、へってくよ」

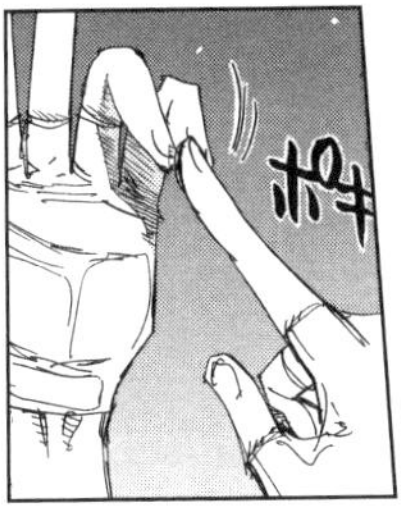

指を一本一本、ポキポキとおりながら、自信をもって言った。

「ゴール前まで生き残るのなんて、ほんのひとにぎりや!!」

そう言うと、カチンと歯を鳴らした。

そして、ぶきみな予言《よげん》をした。

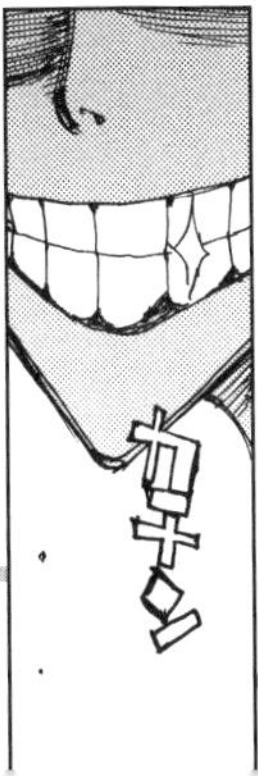

「ここから先は数なんて、さほど問題じゃないよ、
石垣《いしがき》くぅん。
大事なのは〝個《こ》の力〟や。
見とけ……今、イチバン活《い》きのいいヤツほど、
落ちてくよ‼」

そう言うと、長い舌《した》をペロ～ンと出して風に
ゆらした。

林の中のコースをしばらく進んでいくうちに、
「ラストステージ　スプリントラインまでのこり2キロ」のかんばんが出た。

あとは、このスプリントステージ、それから登り、登った先の富士山《ふじさん》五合
目がゴール。

ないてもわらっても最終日《さいしゅうび》。
かんばんを見た御堂筋《みどうすじ》が、なにやら石垣《いしがき》にボソボソと耳うちした。
福富《ふくとみ》と新開《しんかい》も相談《そうだん》している。
総北《そうほく》の田所と金城《きんじょう》もだ。
最後《さいご》の作戦会議《さくせんかいぎ》かと思って、坂道は急《きゅう》に背《せ》すじがザワッとした。
しぼられた、この中から確実《かくじつ》にインターハイ総合優勝者《そうごうゆうしょうしゃ》が出る。

坂道のまわりを走っているのは、黄色いジャージの総北の五人、今泉《いまいずみ》、金城、鳴子《なるこ》、田所、巻島《まきしま》だ。
そして、青いジャージは※ディフェンディングチャンピオン、箱根学園《はこねがくえん》の六人、泉田《いずみだ》、福富、新開、荒北《あらきた》、東堂《とうどう》、真波《まなみ》、それにむらさきのジャージ、伏兵《ふくへい》・京都伏見《きょうとふしみ》の二人、石垣に御堂筋だ。その御堂筋がつぶやいた。

※ディフェンディングチャンピオン…前回の試合《しあい》などで優勝《ゆうしょう》した個人や団体《だんたい》

さぁて、箱根学園《はこねがくえん》と総北《そうほく》、どちらが先に動くんやろね？

勝負どころ

勝負どころをむかえても御堂筋《みどうすじ》がゆうぜんとかまえているのに、反対にドキドキがとまらないのは坂道だった。しょうがない、レース初心者《しょしんしゃ》なのだ。

ああ、心臓《しんぞう》がバクバクしてきた。落ち着きたいのに、落ち着けない。

ああ、ちがう……。
今までとは、空気が……まるでちがう。
ふれたら、一気にばくはつしそうなきんちょう感だ。
これがインターハイの……、
最後《さいご》のゴールが近いってことなのか!!

シャ――――

シャ――――

シャ――

ふいに、

「ハコガク‼　出た‼」

と観客《かんきゃく》がさけんだ。

最初《さいしょ》にしかけたのは、王者・箱根学園だ。

ゼッケン4の新開《しんかい》が、スーッと音もなく速《そく》度《ど》をあげて、先頭を切った。

レースは動いた。

今泉《いまいずみ》が、

「エーススプリンターの新開《しんかい》さんが出ましたァ!!」

とまるで、けいほうベルのようにさけんだ。

すぐさま、「スプリントラインまでのこり1.5キロ」のかんばんがあらわれた。

「新開さんは三日目のスプリントリザルトをねらってるのか?」

と今泉が言うと、鳴子《なるこ》が、

「……いや……ちゃう。エースをつれとる」

「なんだって!?」

新開は補《ほ》給食《きゅうしょく》のビスケットをくわえたまま、ペダルの回転数をあげて飛び出した。そのまうしろには、かげのようにピタリとゼッケン1の福富《ふくとみ》がいるではないか。

「新開さんのスプリントリザルトねらいじゃない！

そう見せかけて、そのままゴールをねらう気や‼」

鳴子が大きくさけんだ。

「ここからァ？　うそだろうォ‼」

今泉はおどろいた。

そんなことできるわけがない。ここから飛ばしても……

さすがにゴールまでは距離《きょり》がありすぎる、スパートをするには早すぎると今泉は感じた。


しかし、レースは動いた。


いよいよ、レースの勝負どころなのだ。

むだがそぎ落とされた勝負の時間が始まるのだ。

思いもよらないことが、ここから連続《れんぞく》していくはずだ。それがレースだから。

「それがどうしたぁぁぁぁあああ!!」

とつぜん、どでかい声をひびかせて、今度は黄色いジャージが飛び出した。

総北《そうほく》から、田所が力強く飛び出したのだ。

そして、すぐさま箱根学園《はこねがくえん》を追い始めた。

しかも、田所一人ではない。こちらも金城《きんじょう》をつれている。


!!

今泉《いまいずみ》はまたおどろいた。

うちもか……!?

箱根学園も、総北も、エースをつれた最終《さいしゅう》※アタックを、同時に発動したのだ。

まだ早すぎるんじゃないか……!!


「田所さん!!」

一年生トリオはその迫力《はくりょく》にどぎもをぬかれた。

そんな三人のおどろきには関係《かんけい》なく、

「オラオラオラオラオラーーーー」

とエネルギー満《まん》タンの田所の声がコースにこだまする。

「ハコガクよ、けん制《せい》のつもりか。けど、そんなんじゃ、にげらんねーぜ、ハコガク!!」
田所が、新開《しんかい》に向かって言った。
「みたいだな」と新開が補給食《ほきゅうしょく》をもしゃっと食べながら、答えた。

※アタック…急加速《きゅうかそく》して飛び出すこと

「どうした。今さら、※スプリントゼッケンがほしくなったか」

と田所が言うと、

「額《がく》に入れるにはちょうどいいからな」と新開《しんかい》。

ペダルだけではなく、口でも※丁々発止《ちょうちょうはっし》のやりあいだ。


すごい。


坂道はほおが引きつるのを感じた。

レースが動き出した。もう、もどれない――。

おたがいに一歩もゆずらないって気迫《きはく》だ。

それが、こっちまではっきりとつたわってくる。

※スプリントゼッケン…区間賞《くかんしょう》の証《あかし》のめいよの色つきゼッケン

ボクはこのきんちょう感の中で、ついていけるのだろうか――。

ドクン　ドクン

つぶされそうだ。

こんなはりつめた空気、今まで体験《たいけん》したことない。

うあああ

この中でボクはなにか役に立てるんだろうか――。

坂道はこのふんいきにアタフタしていた。アガッていた。

そのとき、ポォンと坂道の肩《かた》がたたかれた。

※丁々発止《ちょうちょうはっし》…はげしく言い合うこと

「今は……楽しめ。このきんちょう感を」

巻島《まきしま》の声がした。

「え、え⁉　え、楽……しむ⁉」

「ようやく……ここまで来たんショ。最後《さいご》のゴールを闘《たたか》えるところまで。

何度も何度もくじかれて、ようやく、このしぼられた中にオレたちはいるんだ」

巻島はきっと、ここまでの苦労《くろう》を思い出しているのだろう。かみしめるようにしゃべった。

「こんなきんちょう感を味わうなんて、そうできることじゃないショ」

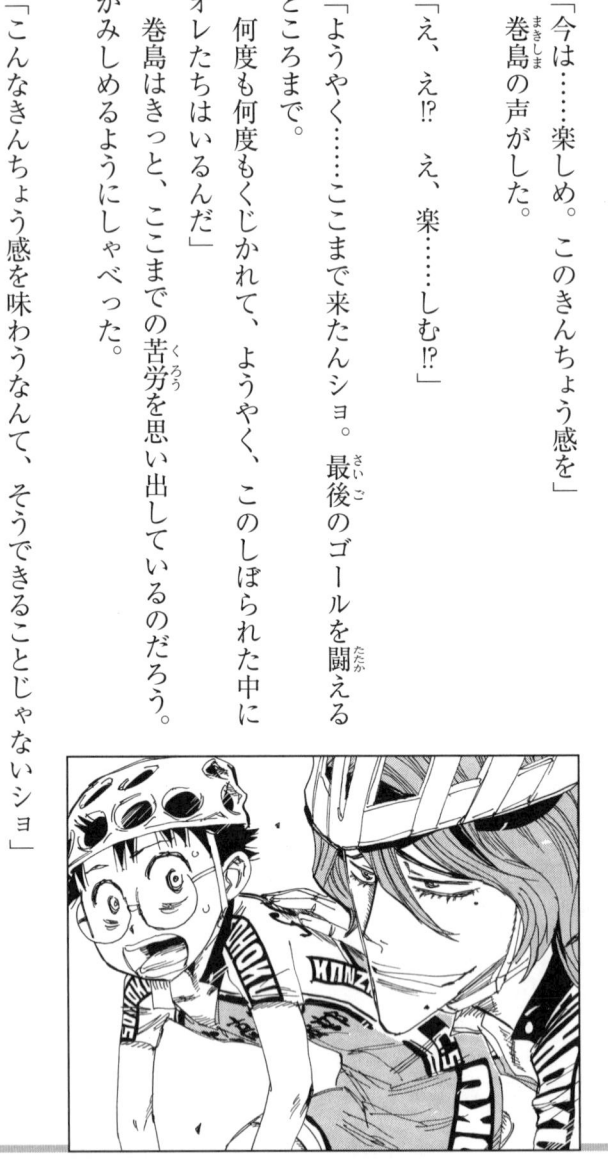

「オレたちは――、三年間、この状況《じょうきょう》を夢《ゆめ》見てきたんショ」

と目を細めた。

そう言うと、巻島はスパイダークライムの動きで自転車を左右にゆらして、グイっと箱根学園《はこねがくえん》の東堂《とうどう》の前に出た。
スピードを上げて新開《しんかい》を追おうとしていた東堂は先を止められて、少しつんのめった。
巻島と東堂はいっしゅん、バチっと目があった。
東堂に「お先にしつれい」みたいな仕草《しぐさ》をしながら、巻島は坂道に向かって、

「楽しいだろォ、坂道ぃ。こんな状況《じょうきょう》に、オレたちは六人全員でいるんだッ‼」

「……‼　はい‼」

と坂道は大きな声で返事をした。

経験豊富《けいけんほうふ》な先輩《せんぱい》たちといっしょにいる。とても心強い。

きんちょうがとけてきた。

この巻島《まきしま》の声は、箱根学園《はこねがくえん》にも聞こえていた。巻島はむしろ聞こえるように、わざと言ったのかもしれない。

シャ――

シャ――

……そう、楽しむんショ

ラストステージ

一方の箱根学園――。

「三年……か。みじかいようで長かったぜ……」

そうつぶやいたのは、荒北《あらきた》だった。

「そろそろ……ハッ、オレの仕事もオワリだな……」

ハッ、ハッ、ハッ、ハッ、ハッ、ハッ

荒北はまだ息《いき》が少しあらい。青いジャージの列《れつ》の一番うしろで息を整えている。

混乱《こんらん》から一年の坂道と真波《まなみ》をつれ出し、全速力《ぜんそくりょく》で広島呉南《ひろしまくれみなみ》に追いつき、やつらをたおしたところだ。

この〝全員合流〟にみちびいた立役者《たてやくしゃ》の荒北《あらきた》は、もう体力をかなり使っているはずだった。

しかし、

「ふるえるぜ!!　ビンビンくる!!　全身の毛がさかだつようなこうふんだ!!　新開《しんかい》ィィ!!!」

と意を決したようにさけんだ。

「代われ!!　インハイラストステージだ!!」

そう言うやいなや、荒北はピッチをあげて先頭におどり出た。

「ハコガクはオレが引くゼッ!!」

オレが引かなくちゃ、始まらねえとばかり、荒北は前に出ていく。

「うおお！」

観客《かんきゃく》がわいた。

「すげぇハコガク、ぐいぐい加速《かそく》してるぞ！」

総北《そうほく》の田所も負けてない。

黄色いジャージの田所が、青いジャージの荒北に追いついて、肩《かた》をならべた。

今にもぶつかりそうだ。超高速鉄道《ちょうこうそくてつどう》が、真横にならんだ線路で飛ばしあっているかのようだ。

田所が、

「さっきまで広島《ひろしま》とバトって、ひと仕事してたっつのに、キバんじゃねーか、荒北ァ‼」

とあおった。

荒北も負けていない。

「ハ‼　悪ィな、調子《ちょうし》いいんだヨ‼　今日は‼　昨日《きのう》たっぷり休んだからな。最高潮《さいこうちょう》ナンだ‼　アドレナリン出まくりだヨ‼　このままエースつんでーー」

荒北《あらきた》が車輪《しゃりん》一つ、前にぬけ出す。主導権《しゅどうけん》をにぎってレース先頭へ出た。総北《そうほく》の二台がそれを追う。

荒北と田所が、まるで光を切りさいているかのように、前へ前へと行く。エースの福富《ふくとみ》と金城《きんじょう》は息《いき》をひそめてピタリとうしろについている。

福富が、

この走り‼　荒北‼　おまえは‼

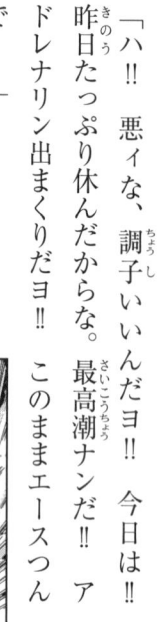

となにかにかんづいた。

荒北のまうしろについて走り始めてから、すぐに今日の荒北の走りは異様《いよう》だ、と気になっていたのだ。

荒北は、

「――ゴールまでだって行ってヤンよ!!」

そう言うと、田所をちぎりにかかった。

またたく間に、三メートル、五メートルと、箱根学園《はこねがくえん》の青の二台が、総北高校の黄色の二台をはなし始める。

「なんだ、そりゃ」

田所は、荒北の走りに目を見はった。

「おおおおおおお！」

観客《かんきゃく》から大歓声《だいかんせい》があがった。

切れ味、思い切り、しゅんぱつ力《りょく》。田所には、荒北《あらきた》が三年間の思いをこめてペダルをふんでいることがつたわってきた。


おうえんしている観客が、荒北のペダリングに熱くなっている。

荒北がほえた。

「うるあああああ　オレが箱根学園《はこねがくえん》を勝たすんだよ‼」

「箱根学園が引きはなしたァ！」

「2番、すげぇ‼」

「エースアシスト2番、ゴールはまだ先なのに、まるで
――ゴール前みたいな異様《いよう》な引きだ‼」

坂道はあっとうされていた。

すごい!!

そのすがたをうしろから、目にやきつけるように見ていた。

広島《ひろしま》と一人で闘《たたか》って、真波《まなみ》くんとボクを引っぱって、

それでも、チームを引っぱっている！

「こっからは敵同士《てきどうし》だ。あんま、なれんなよ、小野田チャン」って、おこられそうだけど、

坂道はなんと言われても、荒北についていきたかった……。

やっぱりすごいです、

荒北さん――!!

そこへ、スピーカーから実況《じっきょう》アナウンスがひびいた。

「ラストステージのスプリントリザルトまで残り五百メートル‼

最後《さいご》のグリーンゼッケンは箱根学園確定《はこねがくえんかくてい》です。総北《そうほく》と京都伏見《きょうとふしみ》を引きはなしてどんどん加《か》速《そく》していく‼」

沿道《えんどう》のファンが、

「ハコガク2番がスプリントをとるぞ！」

と、フェンスから体をのり出しておうえんしている。

「すげぇ」

「いっけええ‼」

――――は？

スプリント？

いらねェよ、そんなモン

なア　福《ふく》ちゃん――

「まだ加速する、ハコガク!!」

アナウンサーも、声をあげる。

そんなもの耳に入らない荒北《あらきた》は、総北をどんどん引きはなしていく。

福ちゃん、インターハイの、この大舞台《おおぶたい》まで、登ってきたぜ。

スプリントラインを前に、ペダルを目いっぱいふみこむ荒北の頭に、ふいに昔のことがよぎった。

それがロードレースというものだ

「だから、出る方法《ほうほう》を教えろっつってんだよ」
それは自転車競技部《じてんしゃきょうぎぶ》の部室《ぶしつ》の前で、一年生の荒北《あらきた》が福富《ふくとみ》にしつもんした場面だ。

荒北が「インターハイ」という言葉を、気にし始めたときのことだ——。

「あの三年が、ギャーギャー言ってるインターハイってやつに出る方法だよ!!!
あるんだろ!?」

荒北は、福富の自転車を借りて、はじめて乗るまでは、どこにでもいるような、ただのヤンキーの高校一年生だった。当時は自転車でなく、アクセルをふかしてバイクを乗り回していた。

ところが福富と、バイク対自転車※で対決して、負けたことをきっかけに、人生が変わった。

ある日、りっぱなリーゼントをバッサリと切り落とし、バイクからおり、自転車競技部に入ったのだった。

そう、ガッチャンと人生の線路が切りかわって、ちがう未来に向かって進み始めたころの話だ。

「オレは、インターハイに出て、ムカつく三年をギャフンと言わせてーんだよ」

「出る方法はある」

練習が終わった福富は、レーシングシューズのどろを落としながら、荒北の顔も見ずに言った。

夕方の光の中で、福富からはあせのにおいがした。

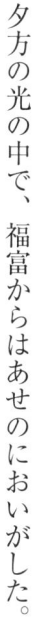

※バイク対自転車…『小説《しょうせつ》 弱虫ペダル』第11巻参照《かんさんしょう》

「おー、それだ。助かるぜ」

荒北《あらきた》はよろこんだ。

「高橋って三年が、いちいちオレにつっかかってきてムカつくんだ」

福富《ふくとみ》はつまらなそうな顔で、

「人の三倍《ばい》練習しろ。毎日だ」

と言った。


は？


「それと、おまえは一人で、だ」

「あ!?」

荒北はまゆ毛をつり上げておこった。福富はそんなことにはかまわず、

「そうすれば二年後には出られる」

とそっけなく言った。

「ハァ!?」
荒北の細いまゆ毛は、ますますつりあがった。
そういえば、福富にやつあたりしたこともあった……。

「もうやめた。やってられるか」

荒北は自転車とヘルメットをガシャとらんぼうに投げつけた。

練習がいやになったのだ。

ちっともうまくならない。ちっとも速《はや》くならない。

「練習っ、この!!　いったい、なにがあんだよ、インハイには、なァ」

そう言うと、荒北は福富の胸《むな》ぐらをつかんで、

「教えろ、てめぇ」

としぼりあげた。

「それは……」

「ハァ!?」

「出なければ、わからない」

「また、それかよ!!」

——そんなことがあったなァ

そのオレがインターハイの最終日《さいしゅうび》までできた。

観客《かんきゃく》の歓声《かんせい》がドッとひびく中をぶっ飛ばしながら、荒北《あらきた》はあせだくだ。

今日は夏の日ざしがやけに暑い、と思った。

登ってきた、一人で……。

暗やみを一人で走って。

そんで、わかったぜ、福《ふく》ちゃん。
たしかに、
インターハイ、
最終日《ラスステ》の先頭は、ハンパなくキモチイイ。
――マジで。

インターハイ三日目。
選手全員《せんしゅぜんいん》の先頭を、今、荒北が走っている。

今、インターハイがわかった気がする。

そのとき、観客がまたさわぎだした。
「おおっ、ハコガクのエーススプリンターの新開《しんかい》が出た!!」
「ハコガク、先頭が交代するぞ。最後《さいご》のスプリントは4番にとらせる作戦《さくせん》なのか!」

新開《しんかい》が鬼《おに》の形相《ぎょうそう》でふり返った。
集団《しゅうだん》からおくれていく荒北《あらきた》に手をのばした。そのジャージをつかもうとしたが、からぶりした。

荒北は、もうペダルをふめてなかった。
糸が切れたように、すーっとうしろへと下がっていく。
手はハンドルをかろうじてつかんでいるが、
頭をがっくりと下げている。

なァ、福《ふく》ちゃん
オレは十分やったろ。
あんなにおれまがってたオレが、
自転車を始めて、毎日乗って、三年間。
おまえが、「一人でだ」って、何度も言ったのは、
オレの、このひねくれたせいかくが、わかってたからだろ。

走った……。
走りまくった、前に。
濃密《のうみつ》な三年間だったぜ、福ちゃん。
だよな……、だったよな。

オレはおまえにだけは、
ほめてほしいんだ。

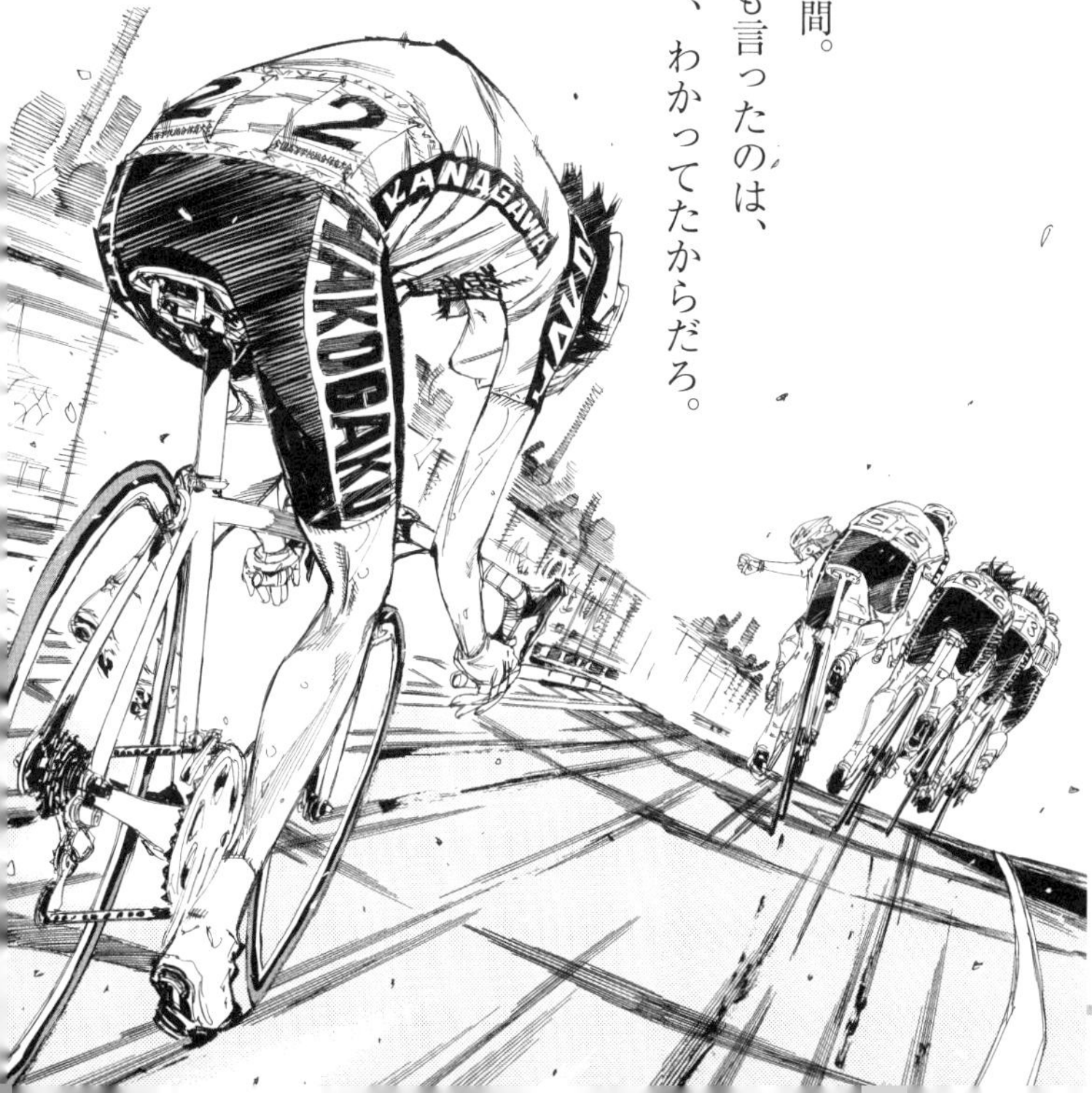

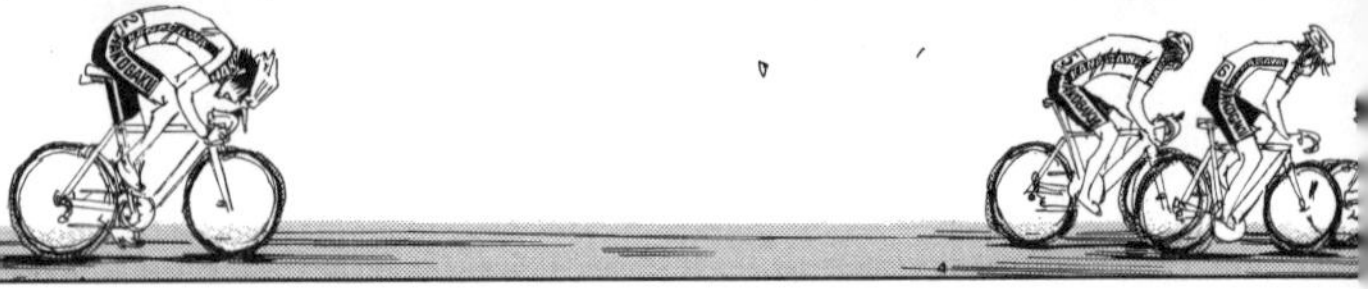

福《ふく》ちゃん。

荒北《あらきた》はないていた。二つの目から、なみだがあとからあとから流れ出て、ボロボロと止まらなかった。ペダルをふむための〝燃料《ねんりょう》タンク〟はからっぽになった。

荒北の心の声がつたわったのか。福富《ふくとみ》がふり返りもせず、表情《ひょうじょう》も変えず言った。

「ああ、靖友《やすとも》。
おまえは最高《さいこう》の走りだった!!」

その声が荒北の耳にはっきりと聞こえたとき、

「最終日《さいしゅうび》のスプリントリザルトは、箱根《はこね》学園《がくえん》、新開《しんかい》選手《せんしゅ》——!」

とスピーカーがなった。

「2番、落ちる」

「ハコガク、ひろわない!!」

アナウンスが耳に入って、坂道は

え、荒……。

北さん……。

と、あごがはずれるほど口を開けた。それくらい、おどろくことだった。
すると、

ハァ　ハァ　ハァ　ハァ　ハァ　ハァ　ハァ　ハァ

前から聞こえてきた荒北《あらきた》の息《いき》の音が、やがてうしろになった。つまり、坂道は荒北をぬきさったのだ。

あばよ――、ハコガク――……

次に荒北は、京都伏見《きょうとふしみ》の石垣《いしがき》と御堂筋《みどうすじ》に次々《つぎつぎ》とぬかれた。

あとは――たのんだぜ

箱根《はこね》――……

荒北がどんどん下がっていく。

「荒北さぁん！」

坂道がうしろをふり向いてさけんだ。

「ハコッ、ハ、箱根学園の2番、落ちました‼」

坂道は、前を走る総北《そうほく》のメンバーに向かってさけんだ。

しかし、金城《きんじょう》も巻島《まきしま》も田所も無反応《むはんのう》だった。だまってこいでいた。

そこで、坂道はもう一度、力のかぎりさけんだ。

「ハコガク、2番の人、落ちました‼」

このたいへんな事実をみんなに知ってもらい、助けにいきたいのだ。

今泉《いまいずみ》と鳴子《なるこ》は「落ちた……」とおどろいたような顔をしたが、あとは知らんぷりだ。

「ねぇ、今泉くん、ねぇ……。チームが一つになって、一丸《いちがん》となって、ハコガクとボクらと六人で闘《たたか》うんじゃなかったの？　なのになんで荒北さんは――」

と今泉に聞いた。

「ねぇ、なんでハコガクの人はだれも助けに行かないの？」

「小野田！」

今泉《いまいずみ》がさえぎった。その表情《ひょうじょう》はかたかった。

「あの人は力つきた。それだけだ。せいいっぱいチームのために仕事をして、仕事を終えた――。それだけだ」

「だったら、やっぱり助けに行かなきゃ」

「小野田ぁ!!! 気持ちはわかる……!! たとえ敵《てき》でも、いっしょに走った人が落ちたんだからな。だが、わすれるな。オレたちはロードレースをしているんだ」

そう言うと、キッと坂道をにらんだ。
「たった一枚《まい》のジャージをゴールにとどける。どこよりも早く!! そういう闘《たたか》いをしている。そのためには、ほかの五枚はかならず、ぎせいになるんだ」

――。

「かならずだ。ぎせいは、どこのチームも、それは同じだ。たった一枚のために、身をけずり、ある者はちり、ある者はリタイアする。
それがロードレースというものだ」

坂道はショックを受けた。
横で鳴子《なるこ》もむずかしい顔をして聞いていた。
今泉は続《つづ》けた。
「三年の先輩《せんぱい》はそれがわかってるから、ふり向きもしないんだ。
小野田、かくごをしろ」
今泉の語気《ごき》のあらさに、坂道の背《せ》すじがザワっとなった。

「今日は三日目だ。あとはゴールするだけの最終日《さいしゅうび》に、ジャージが六枚《まい》そろっていること
は意味をなさない。

〝その時〟はオレたち総北《そうほく》にもかならずおとずれる」

〝その時〟という言葉に、坂道も鳴子《なるこ》も奥歯《おくば》をかみしめた。

箱根学園《はこねがくえん》の荒北《あらきた》は落ちた。

総北高校《そうほくこうこう》だって、だれかが落ちるのだろう。

でも、そんなことは考えたくなかった。

そして、今泉《いまいずみ》は続《つづ》けた。

「かならずバラバラになる。

だから思っていろ。

このチーム六人で走ってるの
は、今が最後《さいご》のしゅんかんだ‼」

今泉の言葉はざんこくだった。

坂道の心臓《しんぞう》がドクンと強く打った。

最後のしゅんかんってなんなんだろう⁉

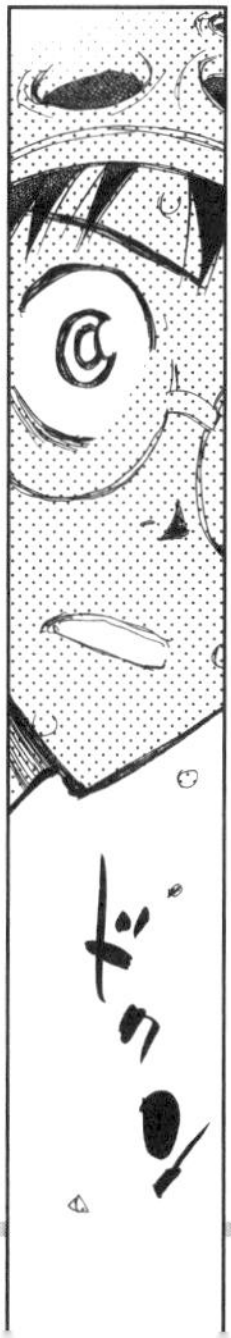

「ワァーーーーーーー」

ひときわ大きく歓声《かんせい》が聞こえて、坂道はわれに返った。

「ハコガク、五人になった。さらに加速《かそく》する‼」

「速《は》っえええ‼」

そんな声が坂道の耳に入った。

鬼《おに》の形相《ぎょうそう》で新開《しんかい》がハコガクを引っぱっている。

靖友《やすとも》‼

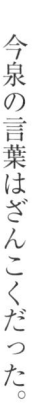

オレが今、ここで走ってられるのも、おまえのおかげだよ、靖友《やすとも》!!

新開《しんかい》がスランプにおちいり、右からしか、ぬけなくなったときがあった。そのとき、雨の中でもずっと練習につきあってくれたのが、荒北《あらきた》だった。

東堂《とうどう》だってそうだ。

荒北……。

東堂もまた、荒北に思いをよせた。

口が悪くて、初心者《しょしんしゃ》で入部したときは、すぐにやめると思っていたがな。
それがまさかインターハイまでいっしょに走るとはな。
たいしたものだよ、荒北靖友《あらきたやすとも》!!
おまえの意志《いし》は、このオレがうけつごう!!

東堂はそう心にちかった。

後輩《こうはい》の泉田《いずみだ》も同じだった。
荒北さん、ボクはあなたからいろいろなことを学びました。
ついさっきまで、いっしょにピンチをのりこえた真波《まなみ》だって。
荒北さん……スゴイ人だったな。

みんな、送る言葉が胸《むね》にこみあげてくる。

靖友‼

福富《ふくとみ》は一番、つきあいが深かった。

おまえなしではこのチームは成立しなかった。
最高《さいこう》の走りだった。

おまえがささえた、このチームのジャージは、
だれよりも早く、ゴールに到達《とうたつ》する!!

決してふり返ることなどしない!!

しゅんかん——すべてのしゅんかんが、
今、こうして六人で走っているのも、最後《さいご》のしゅんかんかもしれないのだ。

坂道はバッと顔をあげると、いたたまれなくなった。

第二章

六人では行けない

みんなで走るのは

「総北《そうほく》、おくれてるぞ‼」

沿道《えんどう》のファンがさわぎ始めた。荒北《あらきた》が脱落《だつらく》したものの、新開《しんかい》の引っぱりで、箱根学園《はこねがくえん》が飛ばしている。このハイペースについていけない選手《せんしゅ》は、たとえチームメイトだろうともおいていかれる。

それくらい速《はや》い。

もう三十メートルくらい、青の箱根学園と黄色の総北の差《さ》が広がった。

「ハコガクについていけないのか‼」

「どうした、ここまでか」

「ガンバレーーー‼　総北‼」

シャ――――――――――――ッ

坂道は必死《ひっし》で、闘《たたか》う気持ちを取りもどそうとしていた。
闘う言葉を見つけようと、ペダルをふみながら、
自分の心の中をさがした。

そうか、このチームの六人で走る最後《さいご》――――
もう――――
そんなところまできてたんだ――――
考えればわかることだ……。
三日間のレースで、もう最後の日だから……。
巻島《まきしま》さんや田所《たどころ》さんや金城《きんじょう》さんは、このレースが
最後だから。そして今泉《いまいずみ》くんと鳴子《なるこ》くん――。

「みんなで走るのは、これが最後《さいご》なんだ！」

とつぜん、坂道は大声でさけんだ。

レースのまっさい中なのに、まわりに観客《かんきゃく》もいるのに、おどろくほど大きな声を出した。

総北《そうほく》のメンバーがびっくりして、ふり返って坂道を見た。

坂道を落ち着かせようと思ったのか、今泉《いまいずみ》が背中《せなか》をさすろうとして近づいた。

でも、ためらってやめた。

なにか思いつめて、人をよせつけないオーラを出していた。

「だったら……ボクは、なんでもします!!　勝利《しょうり》のために!!　このチームのために!!」

坂道の目には、闘《たたか》いのほのおがやどっていた。

さっきまでくよくよしていた坂道とは思えない。

荒北《あらきた》がいなくなった悲しい気持ちがどこかへふき飛んでいた。

「小野田!!」

「小野田くん」

今泉と鳴子《なるこ》がふり返った。

巻島《まきしま》がウッと顔をおさえて、めんどうがかかるなあという仕草《しぐさ》をした。

金城《きんじょう》はだまってうなずいた。

田所《たどころ》はニヤッとわらった。

「オレも同じです!!」
「ワイも同じ!!　すわ!!」
今泉《いまいずみ》と鳴子《なるこ》が同時にさけんだ。
総北《そうほく》の一年生トリオが、三年生に送ったメッセージだった。

「クハ、一年……」
と巻島《まきしま》がつぶやいた。
「んな、まっすぐな目で見られると、てれるっショ」
そして、はっきりと言った。

「ケド、よく言った!!」

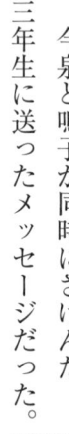

次に田所が、

「そんぐらいじゃねーーと、本当のゴールはとれねえ!!」

と言った。

そこで、金城《きんじょう》がしずかに口を開いた。

「では、六人そろった最初《さいしょ》のオーダーだ。先行しているハコガクを追う」

一年生トリオは気を引きしめて耳をかたむけた。

「おまえらの全力をオレにあずけろ!!」

「はい!!」
三人は声を合わせた。
鳴子は、
これで最後《さいご》や
とあらためてかみしめた。

今泉《いまいずみ》は、
オレたちにできること——
三年生のために

と気を引きしめた。今年のインターハイの総北《そうほく》チームは、ベテランの三年生とフレッシュな一年生の組み合わせでできている。二年生は補欠《ほけつ》にまわり、補給部隊《ほきゅうぶたい》をつとめている。

坂道は、

やろう!!
たとえレースがとちゅうで終わっても!!
これがこの六人で走れる、最後《さいご》のしゅんかんなんだ。
この先のゴールにジャージをとどける最後の闘《たたか》い。

と思った。一度目は落車《らくしゃ》で、二度目は集団《しゅうだん》にのみこまれて。これまで二度もピンチをさまよった。二度、死んだも同然《どうぜん》だ。よく考えたら、こわいものなどない。

鳴子《なるこ》は「だったら、ワイは」、
今泉は「オレは」、
坂道は「ボクたちは」、
「限界《げんかい》まで走る。
エースのために――
三年生のために――
勝つために!!!」と強くねんじた。

ガァ――――――――ダ――――――――

とたんに総北は、六人全員がゆるやかに立ち上がって、ダンシングの体勢《たいせい》になった。

「おーーーーっ、総北《そうほく》、追撃開始《ついげきかいし》だ！」

観客《かんきゃく》がこぶしをあげた。

ダブル引き

黄色いジャージの六人はまるで、おどり始めたかのように見えた。

「総北、ハコガクにはなされるぞ、百メートル!!　いや、二百メートル!!」

沿道《えんどう》から声が聞こえてきた。

鳴子《なるこ》は水を飲んで息《いき》を整え、
今泉《いまいずみ》はあせをぬぐった。

「上等《じょうとう》や、速攻《そっこう》、すぐに追いついたる!!」

「ワイが引いて!!」

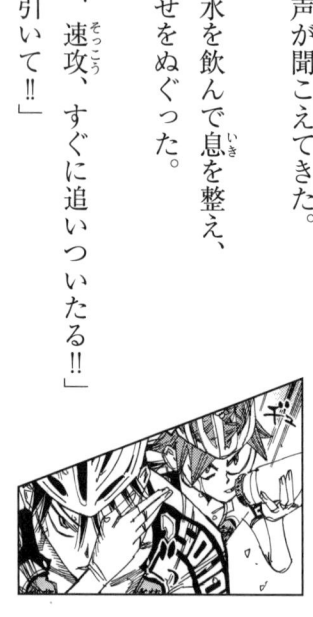

鳴子が田所をかわして、総北の先頭に出た。……とちょうどそのとき、
「よし……速攻《そっこう》、すぐに追いついてやるよ‼ オレが引いて‼」
今泉が同時にさけんで、力強くペダルを回して、田所をぬいた。
二人が同時に、黄色い集団《しゅうだん》の一番前におどり出たのだ。
む？ 一年！
二人にぬかれた田所がおどろいた。
それには気がつかず、今泉と鳴子は二人でつばぜりあいを始めた。

「ん？　なんやねん、スカシ、どけ。ワイが引くから」

鳴子《なるこ》が目もくれずに言うと、

「おまえは小さい。田所さんの風よけには不向《ふむ》きだ。下がれ、オレがやる」

今泉《いまいずみ》がにくまれ口をたたく。

「ちっさい言うな！　おまえかて、金城《きんじょう》さんを引いて、つかれとるやろ、休め」

鳴子も負けてはいない。

一年の間でとんだからまわりが始まったのか。

「――――!!　鳴子、今泉」

田所が声を出して、たしなめた。

「なにやってんショ、一年‼」

巻島《まきしま》があきれた。

そんな先輩《せんぱい》たちの気も知らずに、鳴子と今泉は
「く……ならしょうがねえ‼　んじゃ、いっしょに引くぞ‼」

「おおお‼!」

「おるあああーーーーおぉぉお」

鳴子と今泉は肩《かた》をぶつけあいながら、最高《さいこう》速《そく》まであげていく。

二人が先頭にならび、うしろの四人はトンボの胴体《どうたい》のようなフォーメーションになった。

「オイオイ、チームを引くのにいっしょに……って、聞いたことねェぞ」

と田所が言った。

「む？　鳴子《なるこ》、今泉《いまいずみ》、今のいっしゅんではんだんした――‼　二人で引くことで、体の大きな田所の風よけになっているんだ‼」

金城《きんじょう》はそう考えた。


ムチャクチャだ……。

けど、闘《たたか》う意志《いし》は全開ショ‼　と思いながら、

「田所っちぃ、こいつらバカか？」

巻島《まきしま》があきれた。

「いや……大バカだ‼」

田所がさけんだ。

「総北《そうほく》、じりじり追いあげてるぞ‼」

観客《かんきゃく》も大こうふんだ。

そんな先輩《せんぱい》たちの声がとどいてか、とどかずか、

「スカシ、ふみこみ、たらんのんちゃうか。もうバテたか」

「バカ言え、そういうヤツにかぎって自分がそうなんだ。こっちはまだ七十パーセントだよ」

「じゃ、ワイは五十パーセントや」

「オレは三十パーセントだな!!」

「十パーセントや」

「だったら、もっと回せ!!」

「ふぅ!!　せやな、んじゃあ」

「ああ、んじゃあ」

鳴子と今泉は、入部《にゅうぶ》したころのような意地のはりあいだ。

やがて、
「せーのでいくぞ‼」
「本気出せよ‼」
「せーーーの‼」

うるあ　うおおーーー

ハァ　ハァ　ハァ　ハァ　ハァ　ハァ　ハァ
ハァ　ハァ　ハァ　ハァ　ハァ　ハァ　ハァ

「うるああああ」
「うおおおおお」
グウウッ
ギャン

ブウン
ゴオッ
下ハンドル。
ギアチェンジ。

ゴォ――――――ッ

「おおおおおおお！」

観客《かんきゃく》がわいた。

「総北《そうほく》速《は》ええ!!!」

「一年二人組になってから、加速《かそく》してんぞー!!」

「すげぇ」

「うそ、あれ、一年なの!?　マジで!?　すげぇ」

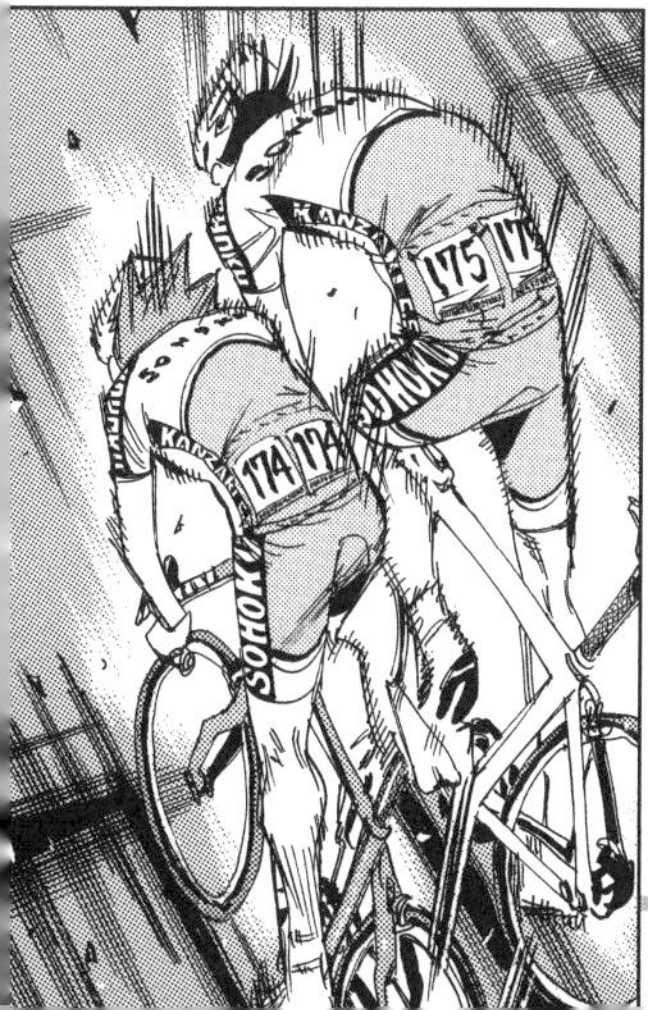

その様子をうしろから見ていた田所と金城《きんじょう》が二人の走りに感心している。

「一年!!　オレたち三年のために!!」

すると坂道がひょこっと、三年のわきに自転車をならべた。

「あのっ、あのっ、三年生のみなさんっ!!　ここまでつれてきてもらって、ありがとうございました」

「小野田!」
田所が顔を見た。

坂道が言った。
「あの、ボクたち、限界《げんかい》までがんばりますから、あの、ぜったい。
あの……この……インターハイ、

「待て、小野田。出るな。この先、左がわの路肩《ろかた》があれている!! 落車《らくしゃ》するぞ!!」
田所がうしろからさけんだ。

最後《さいご》……ぜったいに勝ってください!!」

ぐるぐるぐるぐるぐるぐるぐるぐる
坂道はそう言うと、巻島《まきしま》、金城、田所の横をかけあがっていった。

「鳴子《なるこ》くん、今泉《いまいずみ》くん、代わるよ!!」

ぐるぐるぐるぐるぐるぐるぐるぐる

「だいじょうぶです!!」

ぐるぐるぐるぐるぐるぐるぐるぐる

坂道はアスファルトがめくれて、草や土が見えている路面にまっすぐにつっこんでいった。

自転車は何回かバウンドしたが、坂道はみだれない。

ガダダダダドン

あああああああ

「代わるよ。鳴子《なるこ》くん、今泉《いまいずみ》くん!!」

坂道は鳴子と今泉の前に出た。

「ガハ！　直進《ちょくしん》しやがった‼　たった一枚《まい》のジャージをとどけるために……」

田所が息《いき》をのんだ。

それを見て、金城《きんじょう》が、

「小野田……鳴子、今泉。勝つさ‼　総北《そうほく》はかならず‼」

と言った。

「クハ、『大バカ』——か。そうかもな。こいつら。ショッ、こんなところにきて、なお、まだ、成長してやがる‼」
巻島《まきしま》がわらった。

総北《そうほく》はだんだんと、青いジャージに接近《せっきん》していった。

見えてきた。青いかげが、うっすらと。

「どけや、ハコガク。そのポジションは、総北《オレたち》のモンやーーー!!!」

と鳴子《なるこ》が赤い髪《かみ》をゆらしてさけんだ。

福富《ふくとみ》のひとり言

む?

福富《ふくとみ》はうしろの気配を感じた。

総北……!! 追いあげてきた。

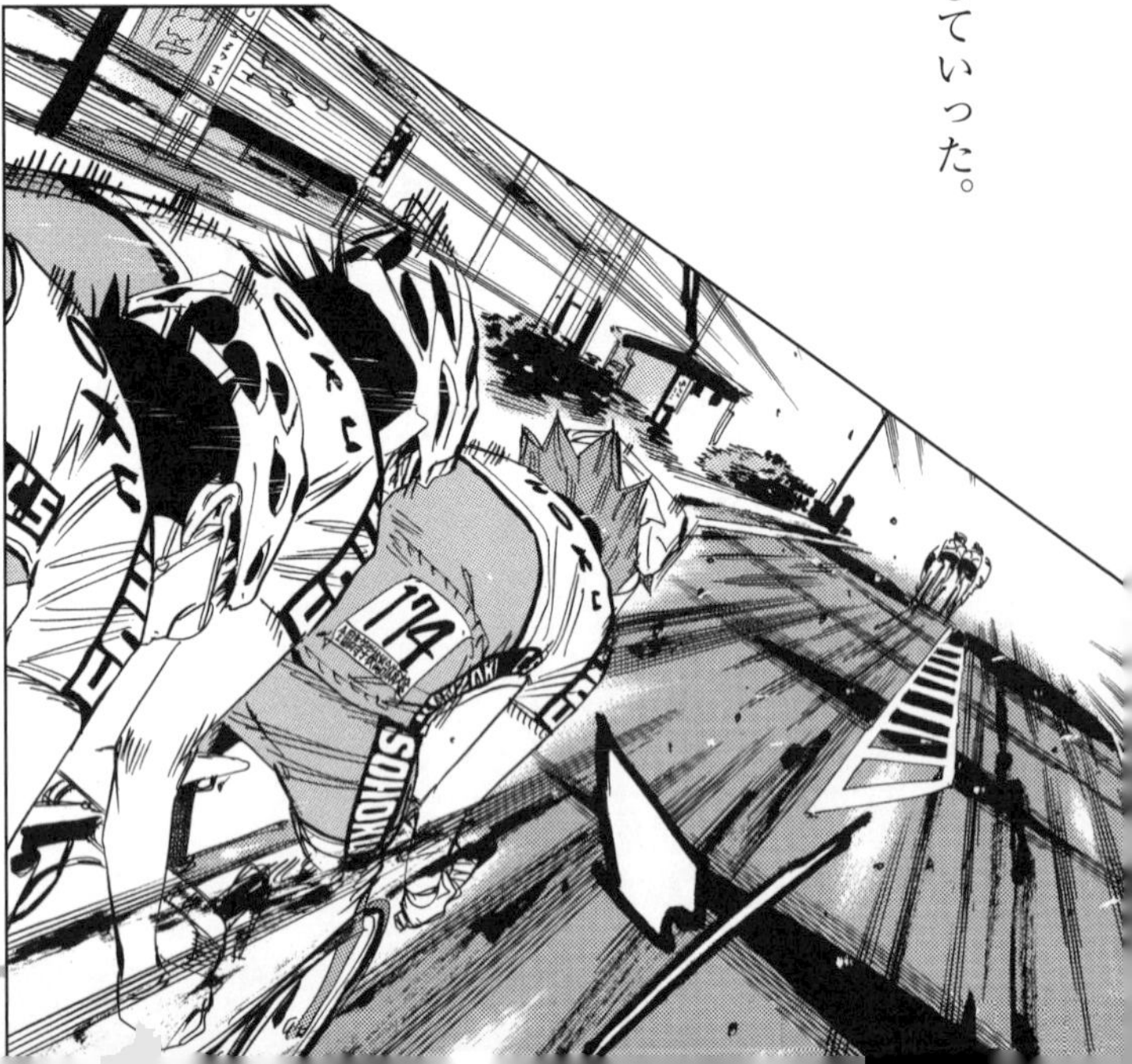

あきらめてないのか。
ゴールまでは残り三十キロを切った。

この先、ほどなく山が始まる。
平坦《へいたん》区間《くかん》は数キロのあと、終わりをつげる。
道はきばをむき、
登れないものを次々《つぎつぎ》とふるい落としていく。
セレクションがかかる!!

そこへは六人では行けない!!
決して!!
次々とはぎおとされていく!!

なぜなら、今大会中、最大《さいだい》の山。

ゴールはその山の向こうだからだ!!

六人が六人でなくなったとき——、
総北《そうほく》は総北でなくなるんじゃないのか。
なあ、金城。

どうする、金城《きんじょう》……。
限界《げんかい》になって、ボロボロになって、
チームが一丸《いちがん》となっている今、
ようやくオレたちを追っている状況《じょうきょう》……。
おまえに〝手〟はあるのか。
勝負はついたか、金城。

また一人

鳴子《なるこ》、今泉《いまいずみ》の〝ダブル引き〟のパワーはすさまじい。

総北はかくじつに箱根学園《はこねがくえん》に近づいていった。

「代わるよ」と坂道がバンと先頭に出た。

先頭を交代しながら黄色いジャージの三年生を引っぱり、箱根学園のところまで運ぶ。

その使命《しめい》をなんとかなしとげたい、と一年生三人は死にものぐるいだ。

「運んだる、ワイらのジャージ!!」

「オレたちが!!」「できるかぎりのことをするんだ!!」

エースの金城は、その様子をうしろから見て、思いをめぐらせた。

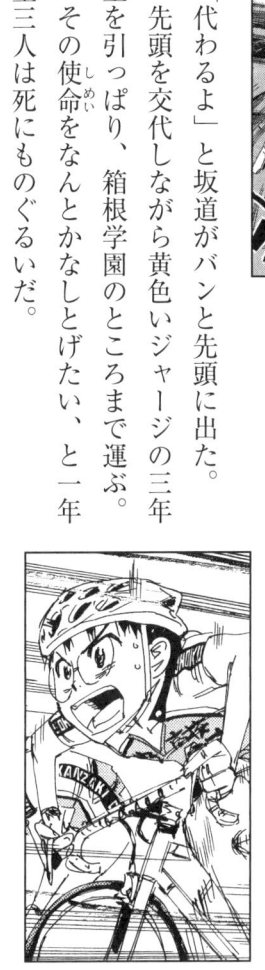

総北《そうほく》はこのジャージ六枚《まい》が全部そろって完成形《かんせいけい》だ。

全員の力でここまできた。

一人欠《か》けても、おそらくここまで到達《とうたつ》してないだろう。

全員の意志《いし》、想《おも》いの一つひとつが、ここまでこのジャージをつれてきたんだ。

ケガも、落車《らくしゃ》ものりこえて。

悲願《ひがん》まで、あと三十キロのところまで!!

「待ったらんかい!! 箱根学園《ハコガク》」

鳴子《なるこ》の声が箱根学園《はこねがくえん》を制《せい》す。

「待てよ、箱根学園《ハコガク》!!」

今泉《いまいずみ》の声がそれに続《つづ》く。

なんだと？
その声を聞いた新開《しんかい》が目を見ひらいて、いっしゅんマジな顔になった。

ハァ　ハァ　ハァ　ハァ　ハァ　ハァ　ハァ
ハァ　ハァ　ハァ　ハァ　ハァ　ハァ　ハァ

息《いき》をまきちらしながら、総北が接近《せっきん》してきた。

そして、ついに、箱根学園にならんだ。

「金……オー……オーダーどおり……ハコガクに追いつきましたよ、金城《きんじょう》さん!!」
顔中をあせだらけにしながら、鳴子と今泉がとくいげに言った。

「よくやった‼」
金城《きんじょう》はしっかりと気持ちをうけとめた。

ハァ　ハァ　ハァ　ハァ　ハァ　ハァ　ハァ　ハァ　ハァ　ハァ　ハァ

一番あらい息《いき》をして、すっかりよゆうをなくした坂道の背中《せなか》を、ガシッと巻島《まきしま》がだいた。

「ガハ‼
本当に追いつきやがった、一年‼
福富《ふくとみ》‼　どうだ‼　これで五分《ごぶ》だな‼」

田所が悪だくみをしているような顔で言った。

青いジャージと、黄色いジャージがピッタリとならんだ。

「ゴールまで25キロ」のかんばんを通りすぎた。

福富はというと、顔色一つ変えず、
落ち着いた、いつもの声で、
「加速《かそく》だ……泉田《いずみだ》」と言っただけだ。

「はい‼ 福富さん‼」
泉田が新開《しんかい》の前にスッと出た。

休むことなく、またスパートだ。
泉田の自転車が前へ出る。箱根学園《はこねがくえん》はまだまだ
フレッシュな選手《せんしゅ》をそろえている。

とたんに、つめたはずの差《さ》がサーッと開いた。

追いつかれたしゅんかんにアタックをかけて引きはなす。王者・箱根学園《はこねがくえん》の戦法《せんぽう》が決まる。手がとどいた感触《かんしょく》があるのに、まるでまぼろしだったかのように遠のいていく。

「うおお　くそ!!　マジかよ」

「ハコガク!!　せっかく追いついたのに!!」

今泉《いまいずみ》と鳴子《なるこ》がくやしがる。

「ぐっ、あくまで〝格上《かくうえ》〟だってのか、ハコガク!!」

田所は息《いき》をのんだ。

福富《ふくとみ》は
追えるか、総北《そうほく》。

金城《きんじょう》!!

そう心の中で金城に話しかける。
主将同士《しゅしょうどうし》、ライバル同士。ここは勝負どころだ。
「この最終局面《さいしゅうきょくめん》ではセレクションをして、選手《せんしゅ》の数をへらしたほうが有利《ゆうり》。
極限《きょくげん》まで身をけずり、しぼったほうが勝つ!!
チーム六人全員で、闘《たたか》う場面じゃないんだよ、金城!!」
「アブアブアブアブアブアブーーーーっ」
これは泉田《いずみだ》がマックスパワーでペダルをふむときに出てしまう声だ。
アンディとフランク……。泉田の胸筋《きょうきん》たちがビクンと反応《はんのう》する。
「聞こえているよ……きみたちの悲鳴《ひめい》!!」
と泉田もねぎらう。
道路の両側《りょうがわ》が森の景色《けしき》になり始めたところで、ハコガク、加速《かそく》だ。

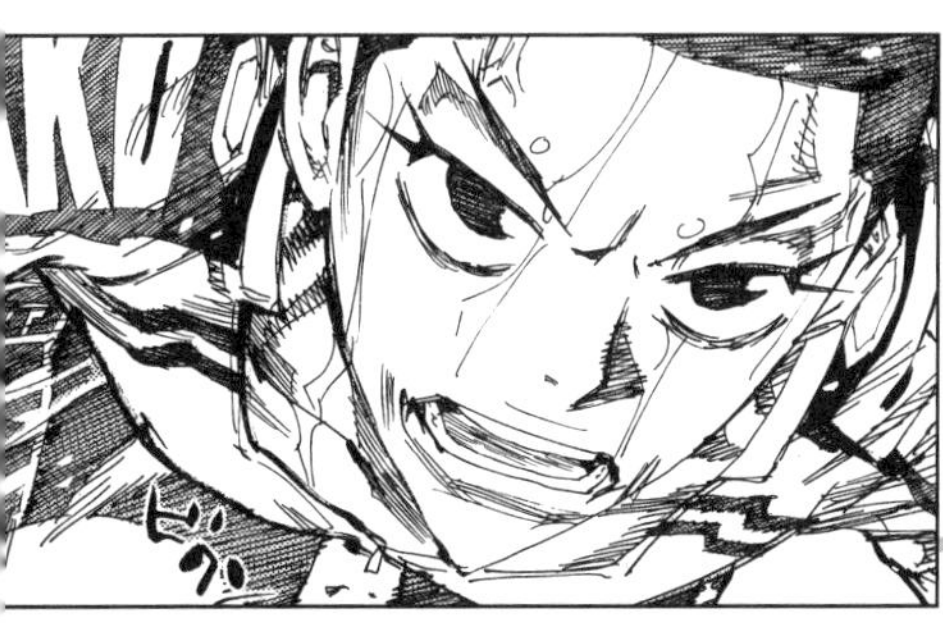

「ハコガク、加速《かそく》ぅ‼」

観客《かんきゃく》がさけんだ。

「5番すげえ。5番、すっげぇ‼」

「泉田選手《いずみだせんしゅ》、激走《げきそう》だ‼」

観客がポカンと口を開けるほどだ。

ここで一気に総北《そうほく》と差《さ》が開く。ちぎれた。

五百メートル以上の差が……‼

今泉《いまいずみ》も鳴子《なるこ》もあぜんとしている。

泉田一人で、五百メートルも‼

これが福富《ふくとみ》の作戦《さくせん》だ。

えらべ金城《きんじょう》!!
いつまでもなかよしでは走れない。
時間はもう残されていない!!

……!!

〝セレクション〟……!!

福富の作戦を知った金城は自分のはんだんが正しいのか、問われたような気がした。

泉田は、

ハァ　ハァ　ハァ　ハァ　ハァ　ハァ　ハァ　ハァ
ハァ　ハァ　ハァ

息《いき》がみだれにみだれて男前のかけらもなかった。顔を

しかめて、うつむいて苦しそうだ。
泉田《いずみだ》は、眉間《みけん》にしわをよせた。

きしむ、筋肉《きんにく》が。
限界《げんかい》をこえた筋肉は、鉄のように
かたくなってきしむんだ。
何度か経験《けいけん》がある。こうなると
もう、いたみは感じない。
音が消え、においが
消えて、体の感覚《かんかく》もな
くなっていくんだ。

意志《いし》だけが路面をすごい

速度《そくど》で走っているような。

肉体はそれに一ミリの誤差《ごさ》もなくつきしたがい、走ろうとするイメージを百パーセント具現化《ぐげんか》する。

完ぺきにとぎすまされた一本のヤリになれる。


これは速《はや》いんだ。

けどそれは、もう、終焉《おわり》が近いことと同じなんだ。


でも、くいはない。

あとはたのみます。

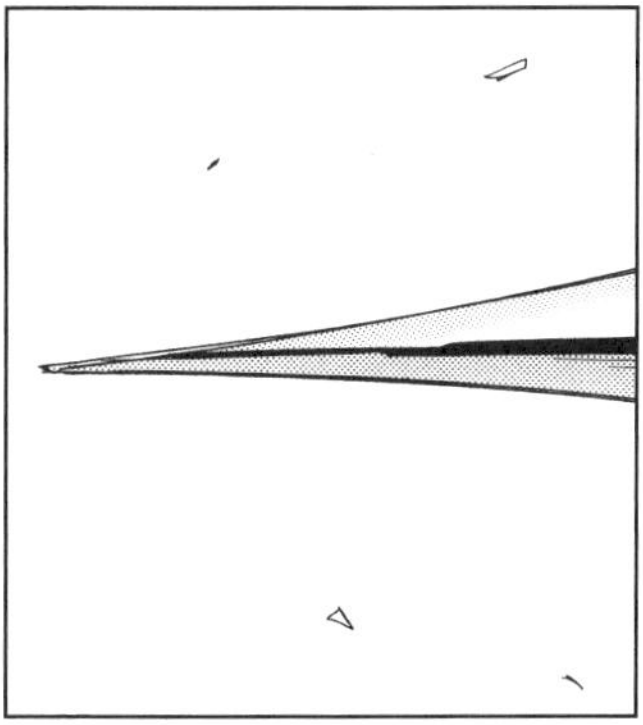

そのとき、だった。

「まかせとけよ!!　泉田《いずみだ》」

新開《しんかい》の手が、泉田の背中《せなか》をさわった。

泉田はもう顔を上げられない。首にすら力が入らない。エネルギーを使いきってしまった。

かろうじて最後《さいご》の言葉を口にした。

「新開さん……インターハイの最高《さいこう》のぶたいで、メンバーの六人にえらばれて、その上、ボクはあなたといっしょに走れた」

そのしゅんかん、泉田がプンと止まったように見えた。糸が切れたかのように、スピードをなくす。

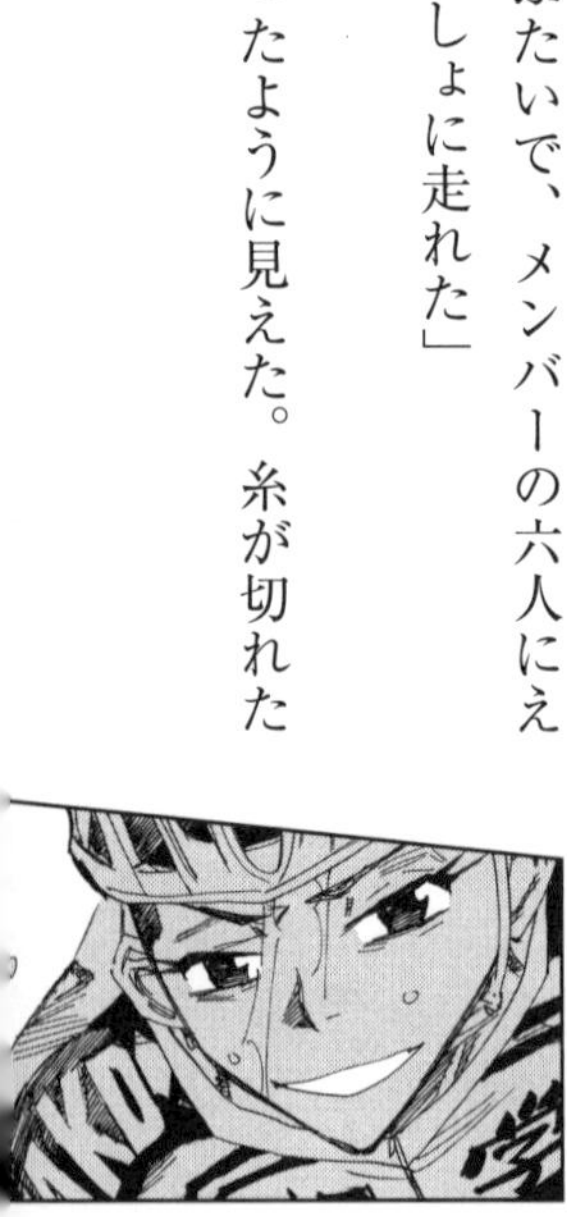

「心から言います。ボクはあなたと走れて、今、とてもほこらしい‼
総合優勝《そうごうゆうしょう》をとってください、箱根学園《はこねがくえん》‼」

泉田をおきざりにして箱根学園の四台が、どんどん前に進んでいく。

「泉田、よくやった」

あとをたくされたメンバーはそう言って、さらに加速《かそく》した。

泉田が脱落《だつらく》した。

せとぎわの背中《せなか》

コースは街中《まちなか》から林に入った。

ここでも熱狂的《ねっきょうてき》なロードレースファンがおうえんの手をふり上げている。

今までよりきびしい勝負をしかけた箱根学園《はこねがくえん》。

その王者の戦法《せんぽう》に観客《かんきゃく》は大よろこびだ。

「ハコガクー、5番を切りはなしましたァ!!

距離《きょり》、ひらいてます!!」

今泉《いまいずみ》がさけぶ。

これはもう、緊急事態《きんきゅうじたい》のサイレンだ。

福富《ふくとみ》‼

また一人、切ったのか‼

金城《きんじょう》が目を見ひらいた。

「今泉くん‼」

「鳴子《なるこ》くん‼」

坂道がさけんだ。

「ああ！」

「ワカっとるがな‼　はなされたら追いつきゃエエだけの話や‼」

この緊急事態に今泉がオーダーを出した。

「ショートローテーションで行くぞ、小野田。二十秒《びょう》ごとに先頭交代だ‼」

「うん‼」

「死ぬ気で回せ、最後《さいご》の役目や‼　見せるぞ全力‼」

「うん‼」

「運ぶぞ‼　オレたちのジャージを‼」

「うん‼」

「山の手前までに箱根学園《はこねがくえん》に追いつく‼」

「んや‼」

うおおおお
うらぁぁ
ああああ

そのときだった。

金城《きんじょう》が、

「下がれ、一年、よくやった」

と大きな声で言った。

前を行く一年三人の右から田所が、左から金城がどうどうと上がってきた。

一年生はこんらんした。

金城は、

「小野田、鳴子《なるこ》、今泉《いまいずみ》……このレース、最後のオーダーだ」

とつげた。

金城はセレクションのはんだんをせまられていた。

そして今、セレクションをすべきときとはんだんしたのだ。

その内容《ないよう》は、
「ペースを上げて、箱根学園《はこねがくえん》との差《さ》をつめる‼
山に入る手前で、チームを切りはなす‼」

ってことは…………‼

「下がれ……て」
「切り……」
「はなす……て」

「それって、あの……」と聞こうとした坂道は無視《むし》された。
田所が先頭へ、そのうしろに金城《きんじょう》が、そのうしろに割りこむように巻島《まきしま》がついた。
三年生三人が前、一年生三人がうしろ。このレース初《はつ》のフォーメーションとなった。

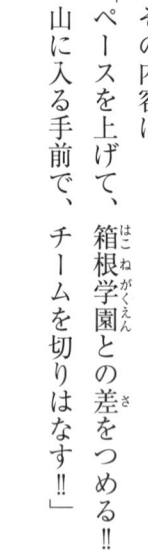

金城は、サングラスをはずした。

「さ……三年が前へ……!!」

そのフォーメーションに今泉《いまいずみ》はおどろいた。

「金城さん、田所さん、巻島さん……」

坂道は信じられないという表情《ひょうじょう》だ。

「ま……待ってください、金城さん。ワイはまだ走れます!!　ワイはまだ全力を出してません。引けます!!」

鳴子《なるこ》がさけんだ。

「鳴子」

金城は話しかけた。

「レース経験《けいけん》のあるおまえならわかるだろう。今は全力かどうかは問題じゃない。
大切なことはたった二つ。
敵《てき》に追いつくか、そうじゃないか!!」

シャ――――――――――

鳴子《なるこ》は耳をすました。
金城《きんじょう》の話を聞くのは、なぜかこれが最後《さいご》のような気がした。

「いいか、勝負を決めるのはゴール前だとはかぎらない!! ロードレースはいっしゅんのはんだんミスで、勝負にならないほどの差《さ》が開くことがある。一見、なんでもない坂。よくある平坦《へいたん》。それがしばしば勝負を分ける。
山の手前の、〝なんとはない〟この平坦で、
箱根学園《ハコガク》はオレたちに決定的《けっていてき》な差をつけようとしているんだ!!」

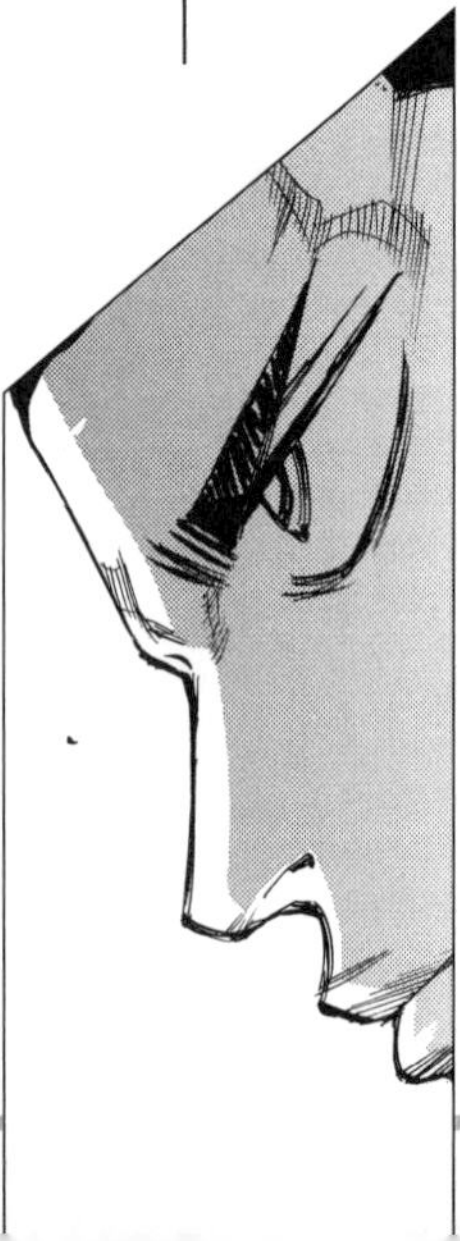

シャ――――――――――――――――

「来ないな、やっこさん」

そのころ、先を走る新開《しんかい》が口を開いた。

「あいつら、とちゅうでおみやげでも買っているのか」

しゃれたことを言う新開を福富《ふくとみ》が、

「まだだ、ゆるめるな」

とたしなめた。

「引きはなした。だがレースはまだ決まっていない。山の手前までに一キロ以上《いじょう》の差をつけて、ヤツらをレースからふりおとす!!」

「オーケーだ!!」

新開が答えた。

シャ————

「決定的《けっていてき》な差《さ》」————

「勝負はかならずゴール前でできるってワケじゃないんだ……」

坂道はさっき金城《きんじょう》が言った言葉を思い出していた。

「そ……総北《そうほく》は……今……負けるかどうかの危機的状況《ききてきじょうきょう》なんですね……!!」

たまらず坂道が口をはさんだ。

「首の皮《かわ》」と巻島《まきしま》が言った。

「……?」

「一枚《まい》ショ‼」

つづけて、

「ロードレースじゃ、ゴール前の勝負にからめるかどうかさえ、
いくつもハードルがあるんだ。
運、実力、メンツ。
人生と同じだ。
つねに不平等《ふびょうどう》だ！
だったらどうする？　きまってる‼　そいつを、
どうやってひっくり返すかを考えるんだヨ‼」

坂道からは、先輩《せんぱい》たちのこしにつけたゼッケン、172、171、173がひときわ大きく見えた。

今、先輩たちが、一年に大切なことをつたえようとしている。

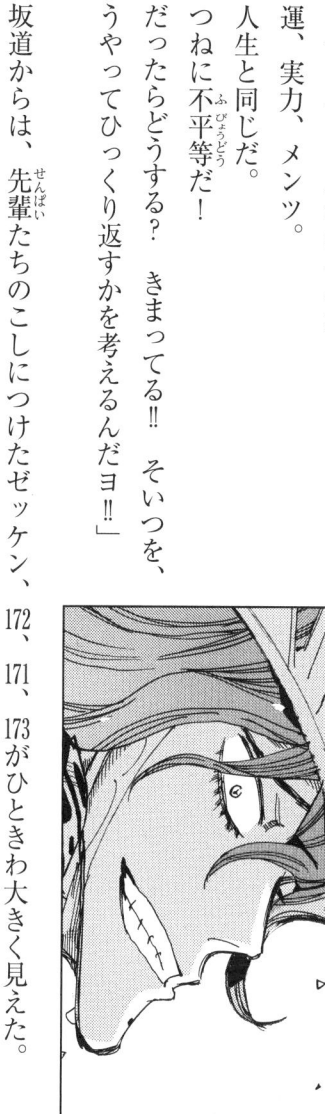

坂道はゾクッとした。

鳴子《なるこ》はブルッとふるえた。

今泉《いまいずみ》は先読《さきよ》みした。


ってことは、エースの金城《きんじょう》さんと三年の力で、この差《さ》をつめようってのか。

そしてひっくり返そうと？

鳴子は悲しそうな顔になり、
オッサン！　ワイら……一年は……ここで……

と田所の気持ちを読もうとした。するとずっとだまっていた田所が口を開いた。

「首の皮一枚《まい》か……おもしれぇ。だったらその首、オレがつなげてやるよ‼」

言うやいなや、ダンシングを開始。

総北《そうほく》は加速状態《かそくじょうたい》に入った。

オラ！　オラオラオラ‼　オラオラオラオラオラオラ‼

とくちょうある田所のさけび声が、木々《きぎ》の間にこだました。

「オレもだ‼」

金城がなにかをかなぐりすてるようにさけぶと、田所を追いぬいた。

エース金城さんまで‼

金城の見たことのないすがたに、一年の三人はおどろいた。

三年生を追いかける鳴子《なるこ》は、今まで体験したことがないくらいの速度《そくど》におどろいた。

今泉《いまいずみ》も「速《はや》っ……」とあせっている。

坂道はおいてきぼりをくらわないように、ハンドルをにぎりなおした。

うああああああ

速い……!!

これが総北《そうほく》三年の実力なのか!!


「すごい速度や……。すごい気迫《きはく》や……。ワイらとはくらべもんにならん。

これが三年間、インターハイというぶたいで優勝《ゆうしょう》をめざして闘《たたか》ってきた人らの走りか!!」

鳴子《なるこ》はあっとうされた。

「スカシ!」

「ああ!」

二人はあうんの呼吸《こきゅう》でたがいの気持ちをかくにんした。

鳴子が「巻島《まきしま》さん!!」と声をかけた。

「かくごはできました。今すぐワイらを切りはなしてください!!
ハコガクに追いつくのに、ワイらは荷物《にもつ》です。今ここで切りはなして、先、行ってください!!」
「できねぇ」
巻島は右手でヘルメットをおさえながら言った。

「金城《きんじょう》からの伝言《でんごん》だ……おまえたちには
まだ〝役割《やくわり》〟がある。それは、
〝オレたちの背中《せなか》を見とどけろ〟。
〝山の手前まででいい〟」

「がんばれ、総北《そうほく》ーー!!」

また、観客《かんきゃく》がいるところに入ってきた。

おうえんは力になる。

「追いつけるかーー」

「お、総北いよいよ三年が前に出てる
ぞ!!」

「うおお!!　本格始動《ほんかくしどう》だ!!」

総北がコーナーに入っていく。

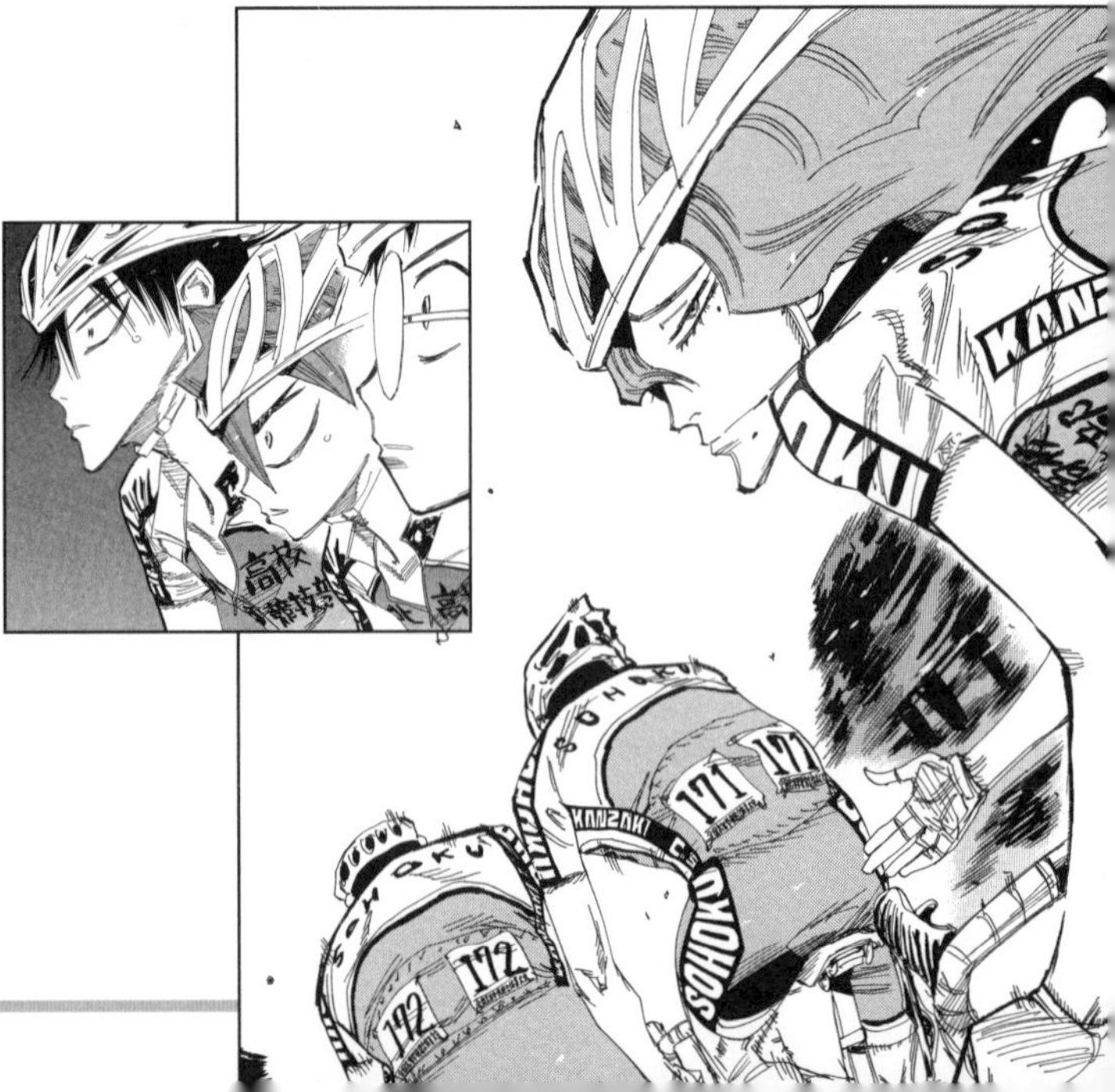

そしてコーナーをぬけ終わる。
金城《きんじょう》は
「見えろ、見えろ、ハコガク‼」
とねんじた。

まだだ‼
やつらは、コーナー何個、
先を走ってるんだ⁉

「代わる！」
金城が田所の前に出た。

オオ‼
金城《きんじょう》がほえる。

「速《は》ええ‼」

その速《はや》さは観客《かんきゃく》がひるむほどだ。

「代わる金城‼」

今度は田所が前に出てきた。目にもとまらない速さだ。

先輩《せんぱい》たちの必死《ひっし》のうしろすがたを見ていた今泉《いまいずみ》は、

「山の手前まで残り数キロ…‼

今、オレたち一年にできることは……　ただ見守ることだけ……‼

オレは一つも成果《せいか》を出していない。レース前半で金城さんを引いただけで。

今、こうして総北《そうほく》が箱根学園《ハコガク》にはなされているのは、オレに力がなかったからじゃねーか‼」

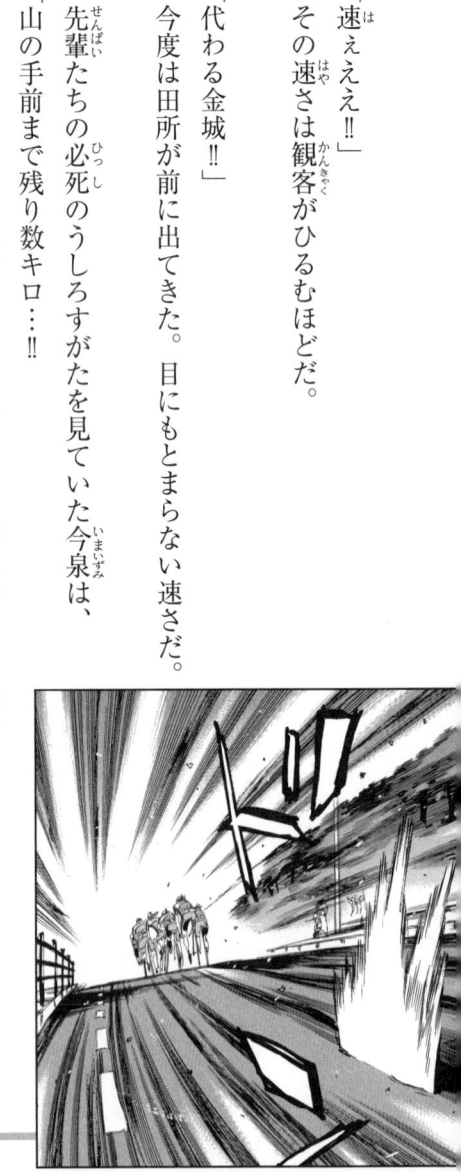

と考えていた。

なのに「一年、よくやった」だと。なにもやってない、オレは。

チームのためになにも、オレはやっていない。

なのに山の手前まで――って……。

いっそここで、切りはなしてくれたほうが……

「いや‼　なにを考えているんだオレ。これはチームオーダーだ。チーム戦《せん》をやってんだ‼　今は前に‼　前に集中するんだ‼」

鳴子《なるこ》がふり向いた。

それに気づいた今泉は、

「なんだ、鳴子！」

けんかするみたいな強い口調《くちょう》で言った。

「同じや……。ワイも今のおまえの気持ちと。こないなところでレースが終わって。しかも、背中《せなか》を見て走れなんて……生ゴロシや。終《しゅう》了《りょう》や……。ワイのインターハイ……終わってもうた。ワイに力がないせいや」

「お、同じにするな、オレは……」

「同じやないかい。不完全燃焼《ふかんぜんねんしょう》やて、うじうじして」

「それはそっくりそのまま、おまえに返してやるよ、くそ‼」

「オレたちは……」

「終わりや」


そこまで言ったとき、二人の目にペダルをふむ坂道のすがたが入った。

坂道はバカ正直に、顔をしっかりと上げて、先輩《せんぱい》たちの背中を見つめていた。

小野田くん……。
背中を見とる――。
「見て、すごい」
坂道は言った。
「こんなに全力で走る三年生を見られるなんて。すごいよ。
こんなに近くで見るのは、はじめてだよ。
あの……前に、巻島《まきしま》さんと走ったときに、巻島さんが言ってたことがあるんだ。
『自転車で会話することしかできねェ』って。
なんて言うか、あの、会話してる気がするんだ、今。
ヘンかもしれないけれど、そんな気がするんだ。
あの……今、三年生はボクらに……強くなれって言ってる気がするんだ!!」

今泉《いまいずみ》と鳴子《なるこ》はハッとした。今泉は、

こいつをつたえるためにオレたちを残したってのか。
オレたちのこれからのために——!!

と目を見ひらいた。鳴子は、

この人たちは見とるのか……総北《そうほく》の明日を——。
オッサン……巻島《まきしま》さん……金城《きんじょう》さん。

と、うなった。すると二人は、

「オレたちがになう総北の未来を見てるのか!」

そうさけぶと、とつぜん、ヘルメットをゴンとぶつけあった。そして、

「目がさめたぜ、ありがとよ、小野田」と今泉が、

「目がさめたわ、おーきに、小野田くん」と鳴子が言った。

坂道はびっくりした。

しょんぼりしていた二人はとたんにイキイキとしてきた。

「これが実をむすぶのは、一分後かもしれねぇ、それこそ一年後かもしれねぇ——けど、背中《せなか》を見ろつんなら、見てやるよ!!

その背中《せなか》にあながあくまで、トコトン!!!」

と、鳴子《なるこ》と今泉《いまいずみ》は言った。

一年の前を走る金城《きんじょう》は、三人の気配の変化《へんか》に
気がついた。
「かわったな……空気が」と。

小野田か!!

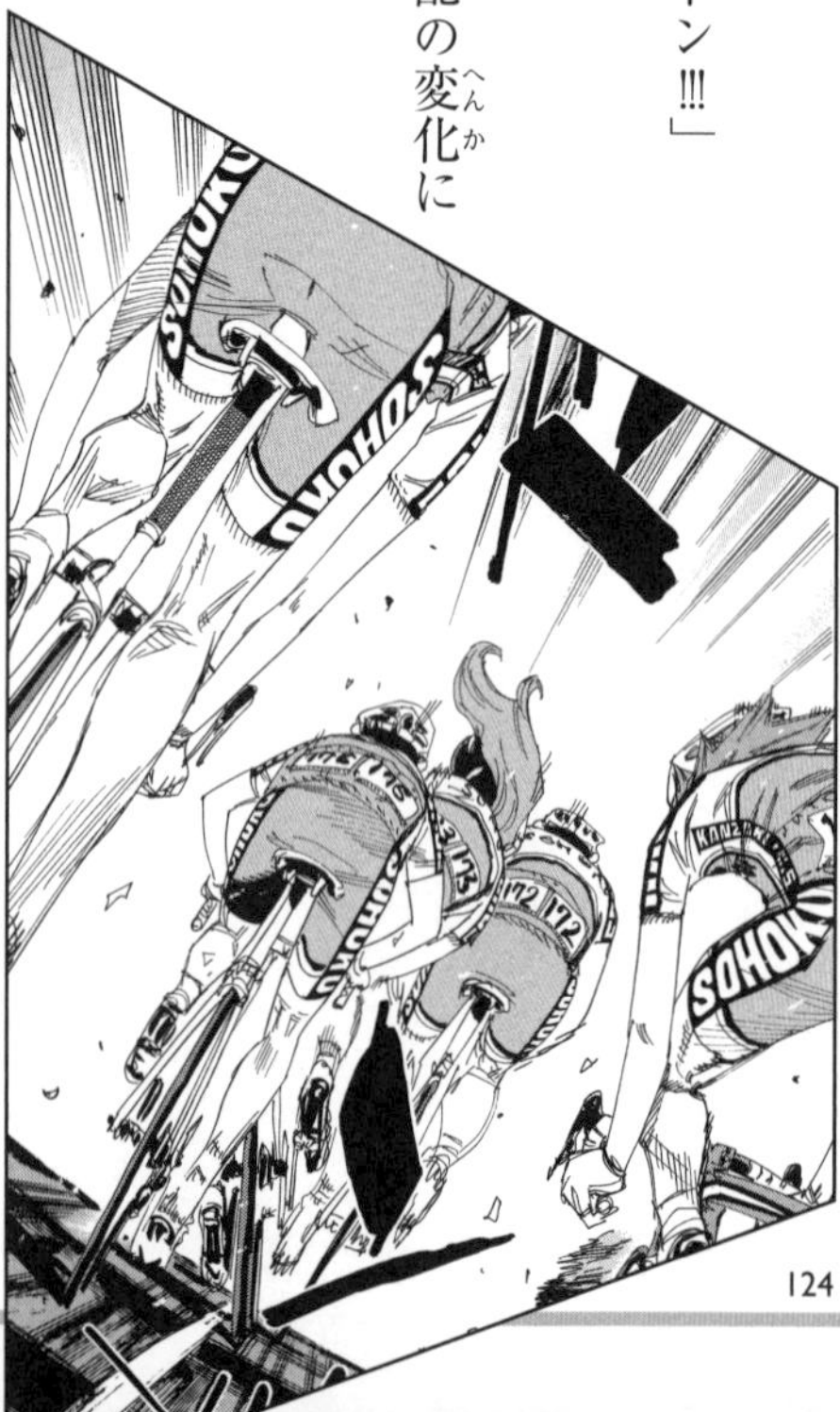

坂道が空気をかえたことを金城はさっした。

金城は満足げにいっしゅん、えみをうかべると、

「もっと上げるぞ、田所!!　ほかのものはふりおとされるな!!」

とさけんだ。

「オオオオオ」

と全員がそれにこたえた。

「総北《そうほく》は山の手前の、この平坦《へいたん》で、なんとしても追いつく‼　オレたち六人の意志《いし》で‼」

金城の目には青いかげがはっきりと見えた。

「とらえた、箱根学園《ハコガク》」

六台全車がフルスピードダンシングだ。

「ならぶぞ‼」

「これで首の皮《かわ》一センチくらいはつながったか
金城ォ⁉」

と田所。

「いや、まだだ‼」

と金城。

ならぶんだよ

箱根学園《はこねがくえん》の先頭を行く、福富《ふくとみ》と新開《しんかい》は黄色いかげに気がついた。

「来たな。やっこさん」と新開が言った。

「ふり切れ、新開」と福富。

「オーケー、寿一《じゅいち》」

「ならぶぞ!!　田所!!」と金城《きんじょう》。

オラオラオラオラオラーーーーーー

「本当に追いついた!!」と鳴子《なるこ》。

「まだだよ。一年、集中しろ、追いつくだけじゃ意味がねえ、ならぶ……ならぶんだよ」

「オラァッ、闘《たたか》うんだよ!!」

「この人ら、本当に箱根学園にならぶ気だ!!」

「代わる、田所!!」

金城が先頭に出た。

「おお!!」


オオオオオオオオオオオオ!

総北《そうほく》があきらめずに差《さ》をつめてきた。

福富《ふくとみ》は思った。
「この平坦《へいたん》で決定的《けっていてき》な差《さ》をつける」——というオレたちのシナリオを読んだか、金城《きんじょう》。さすがだ。
遠くからでもプレッシャーを感じるほどの猛追《もうつい》。
どんなぎせいをはらっても、ぜったいに追いつくという意志《いし》!!

それが総北《そうほく》か、金城!!

いよいよ、前方に坂の登り口が見えてきた。
平坦区間《へいたんくかん》が終わる。
金城はあせが目に入ってにじむ視界《しかい》で、前を見すえた。

山の入口まで残り三・二キロ。
ここではなされたら一気に終わりだ。

実力者をそろえ
王者として君臨《くんりん》する箱根学園《はこねがくえん》と
オレたちが闘《たたか》う方法《ほうほう》は、
意志!!

六人全員が同じ思いをもって、同じ前に進もうとする力だ!!

一人ではおれそうな心も、
もう一人がひろい、ささえ、すくいあげれば、あきらめない気持ちにかわる。
意志《いし》は自転車に伝わり、かくじつに歩みを進める。

だれも脱落《だつらく》しない、うしろがついてきているという事実。
それが背中《せなか》をおす。
前に出れなくとも
信じた心がオレたちをアシストする。

全員全力
それがオレたちのロードレース!!
総北《そうほく》の走りだ!!

ハァ　ハァ　ハァ　ハァ

ハァ　ハァ　ハァ　ハァ　ハァ　ハァ　ハァ

「ならんだァァ!!」

沿道《えんどう》の観客《かんきゃく》たちが声をあげた。
このレース、ここまでで最大《さいだい》の名シーンだ。

「マジか！」
「総北《そうほく》きたぞ!!!」

第三章 さらば、三年

目ざめた直線鬼《ちょくせんおに》

金城《きんじょう》の自転車は福富《ふくとみ》の自転車の真横にならんだ。二台はついにならんだ。

金城は福富をギロリとにらんだ。

そして、ゆっくりと言う。

「一歩一歩はつみかさなり、つもる!!」

まゆ毛をつり上げたけわしい表情《ひょうじょう》だ。

福富は、金城の目を見つめ返した。

「……………!!　そのかさなりが結果《けっか》だと言うのか」

と問うた。

答える金城の声には自信がこもっていた。
「強豪《きょうごう》だと思う相手と闘《たたか》うときに、もっとも大切なことは、
心がゆれないことだ。
自分が信じた方法《ほうほう》を、信じてやりとおすことだ。
このジャージは六枚《まい》で完成形《かんせいけい》だ。
だからオレは、六人で追いついた‼」
金城は自分が着る総北《そうほく》のジャージをさして言った。

「それが、オレの…… 〝セレクション〟への答えだというのか。
まさにおまえらしいやり方だ。おまえらしいチームだ。
だが……とんだ、なかよしクラブだ」

そのとき、
「全力で引け、新開《しんかい》！」

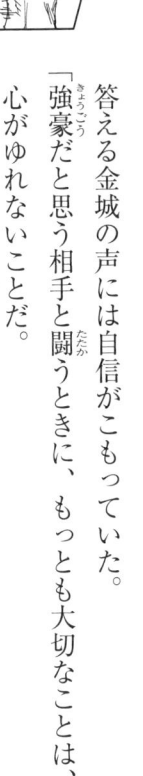

福富《ふくとみ》がバンと新開《しんかい》の背中《せなか》をおした。

それを合図に、新開ははじかれたように飛び出した。

箱根学園《はこねがくえん》は六人のうち、荒北《あらきた》をうしない、泉田《いずみだ》をうしなった。

しかし、新開がいる。

そして、この追いつかれたしゅんかんにスパートする作戦《さくせん》。これは箱根学園のとくいの戦術《せんじゅつ》だ。

相手が追いついてよろこんだしゅんかんに、相手の心をポッキリとおりにくる。

がっかりさせて、つかれを倍増《ばいぞう》させて、あきらめさせるのだ。

山の入口まで残り二キロ。

期待《きたい》にこたえて新開は「鬼《おに》モード」を出した。
けりつけるようにペダルをふんでいく。目をつり上げて、舌《した》をだらん
だらんとゆらしながら走る〝箱根《はこね》の直線鬼《ちょくせんおに》〟のすがたをあらわした。
新開はここが見せ場とばかりに、ペダルをふみにふんだ。

沿道《えんどう》のファンたちは、
「ハコガクがまたスパートした！」
「追いついたばかりなのに……一気にはなされているぞ、総北《そうほく》!!」
大きくどよめいた。

「新開《しんかい》!!」と田所がおどろいた。

「ここでしかけてきた!!」と金城《きんじょう》も。

「〝箱根《はこね》の直線鬼《ちょくせんおに》〟!!」と巻島《まきしま》や今泉《いまいずみ》もどうようをかくせない。

激走《げきそう》、山中湖《やまなかこ》

やがて、先頭をぶっ飛ばす新開の目に山中湖《やまなかこ》が見えてきた。

山中湖、それは富士五湖最後《ふじごこさいご》の湖——。

夏の日ざしで湖面《こめん》はキラキラと光っていた。

「来たぜ、金城!!」

猛追《もうつい》する田所が声をかけた。

「来た!!　山中湖だ」

金城は奥歯《おくば》をかんだ。

「一気にはなされている総北《そうほく》!!」

観客《かんきゃく》が息《いき》をのむ。

首の皮《かわ》一枚《まい》、残すために飛ばしてきた総北が、箱根学園《はこねがくえん》にならんだとたん、新開が飛び出したのだから、金城は思わずうなった。

うむ、ここでしかけてきた!!　やはりと言うべきか。
ここからは山中湖のふちにそってぐるりと走る完全《かんぜん》な平坦道《フラット》。
つまりは……新開《ヤツ》がもっともとくいとするステージ!!

金城《きんじょう》のひたいからあせがふき出た。

鳴子《なるこ》が、

「なんやあのアホみたいな加速《かそく》は!!」

とはなれていく新開《しんかい》のうしろすがたに向かってさけんだ。

「これが全国最速《ぜんこくさいそく》のレベルか……!!」

と今泉《いまいずみ》がうなる。

「せっかく……せっかく追いついたのに!!」

と坂道がなげく。

「山の入り口まで1.5キロ」のかんばんが出た。

そのとき、

「代わる、田所!!」

と総北《そうほく》は金城が先頭に出た。

「おう!!」

金城は総北の作戦《さくせん》を考えている。
新開は速《はや》い‼　だが追いつく‼
ならぶ‼
なんとしても‼

このレース、最後《さいご》は山の勝負。登り坂で決まる。
山に入ったら、オレと巻島《まきしま》で飛び出す。
巻島かオレか、どちらかが、
山道のおよそ二十キロ先にあるゴール、インターハイのラストゴール、
そこに、想《おも》いをたくされた、このジャージをまっ先にとどけるんだ。
ぜったいに‼
そのためにはこの山中湖で、差《さ》をつけられるわけにはいかない。

「代わる、金城《きんじょう》ぉ!!」
総北《そうほく》は今度は田所が先頭に出た。

オラオラオラオラッ!!

「金城ぉ!!　おめーはしばらく足、休めてろ。ここからはオレ一人の力で追いつく!!」

ちょっと間があって、田所が言った。

「先……言っとくぜ。ありがとよ、三年間」

金城は、ん!　と一瞬《いっしゅん》なにを言われているのかわからなかった。
ありがとよ、三年間……って!?

田所は感謝《かんしゃ》をつたえるやいなやグリップをさっとアンダーに持ちかえた。そして、体を下げて空気抵抗《くうきていこう》をへらすフォームになった。

そして、

「オラオラオラッ‼

こいつが総北名物《そうほくめいぶつ》、肉弾列車《にくだんれっしゃ》だ‼

どけオラ、ハコガク‼」

とさけぶや猛然《もうぜん》とペダルをふみ、最後《さいご》の力をフルボリュームでふりしぼって飛ばし始めた。

田所！

「オラオラオラオラオラオラオラ

オラ　オラ

オラ　オラオラオラ　オラオラオラー―」

田所のほえ声が湖畔《こはん》いっぱいにひびきわたる。それに引っぱられて、チーム総北《そうほく》のスピードが上がった。

観客《かんきゃく》からは、

「総北の田所、すげー引き!!」

「ヤベ、差《さ》がちぢんでるぞーー」

大歓声《だいかんせい》がおこった。

暴走《ぼうそう》する田所の肉弾列車《にくだんれっしゃ》の走りに、今《いま》泉《いずみ》、鳴子《なるこ》、坂道がおどろいた。田所はもっともっと強くペダルをふみ始めた。

金城《きんじょう》も田所からひと回り大きなオーラが出ていると感じた。

「田所……」

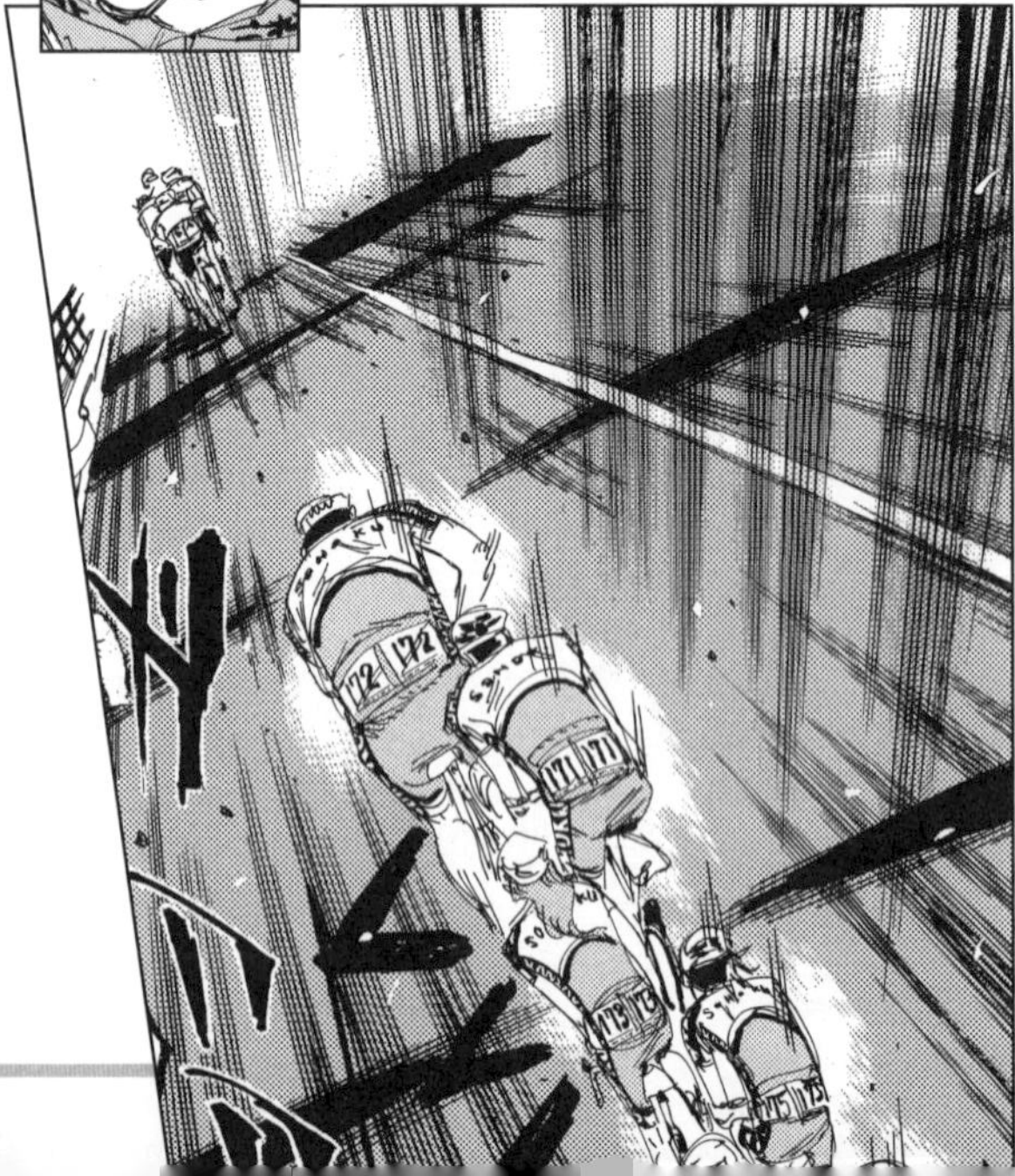

昨日《きのう》の夜、月の下で巻島《まきしま》と田所の三年生三人だけで話をしたことを思い出した。

田所はこう言っていたのだ。

「明日、もし最後《さいご》、山中湖《やまなかこ》まで行って、それでも箱根学園《ハコガク》にせっていたら、オレが、最高《さいこう》のポジションまで引いて、おめーら二人を切りはなしてやるよ!!

だから、つべこべ言わずに全力であずけろよ。山中湖の湖畔の最後の平坦《へいたん》が、スプリンターのオレにとってのゴールだ」

うでぐみをして、自信満々《じしんまんまん》の顔をして月光にてらされていたあのときの田所。かくごを決めたようなスッキリとした表情《ひょうじょう》をしていたのだ。

今、金城には、目の前でペダルをふむ田所の、でかくて、まるい背中《せなか》が、巨大《きょだい》な月のように見えていた。

「オッラァァ
うっラァァ」

腹《はら》の底からさけびながら、田所は黄色い肉弾列車《にくだんれっしゃ》を引っぱる。キャリアハイの最高《さいこう》の走りをくり出していた。超特急肉弾列車《ちょうとっきゅうにくだんれっしゃ》だ。

やがて、田所の太ももがピクピクとふるえ始めた。限界《げんかい》をこえたようだ。

しかし、新記録《しんきろく》なみの速《はや》さに、観客《かんきゃく》がつられてもりあがる。

「速《は》っええ、総北《そうほく》!!」

「ハコガクに負けてねえ!!」

金城《きんじょう》は少しじわっときて、視界《しかい》がくもった。

た・ど・こ・ろ……

田所、おまえはいつもオレや巻島《まきしま》の前にいた。

道を切りひらいてくれた‼


気持ちがたかぶりそうになって、あわてて顔をうでで ぬぐった。


そうだった……こんなオレたちにも、一年生のときがあった。

金城は、昔のことをふいに思い出した。

田所が、

「オレ、部活《ぶかつ》やめようと思ってんだ」

そう部室《ぶしつ》で言った日のことだ。

「なんでだ⁉　せっかく、きつい合宿をのりこえたじゃないか」

金城はおどろいて言い返した。

「明日、キャプテンに話すよ」

田所が元気なく言ったとき、巻島《まきしま》が入ってきた。

「どうしたっショ、金城《きんじょう》、青い顔をして。え？　田所っちがやめる？」

じつは田所は、入部《にゅうぶ》してからしばらく、いい結果《けっか》が出なかった。

　でも、みんなのはげましもあり、コツコツ練習をかさね、とうとう、ある大会で初優勝《はつゆうしょう》をとった。これをきっかけに立ち直り、自信をもつことができたのだ。

　いつも、そばには巻島や金城がいた。スプリンターとして花開くまで、ずいぶんと時間がかかったのだ。

　田所は二年になると、新入部員《しんにゅうぶいん》の青八木《あおやぎ》と手嶋《てしま》に目をかけて、きたえあげた。

そして、ちょうど一年前……二年生のインターハイのレース中に、箱根学園《はこねがくえん》の福富《ふくとみ》が金城をわざとたおす事件《じけん》が起こる。そのことを福富が※あやまりに来たとき、田所は頭に血がのぼって、福富をなぐった。

いいときも悪いときも、どんなときも、はないきあらく、力強く、このチームを引っぱってきたのは、いつも田所だった。

「心配するなよ、金城。安心して、うしろについてこい。オレは根性《こんじょう》じゃ、だれにも負けねぇ‼」

いつしか、このセリフが、田所のトレードマークになった。

そんなことを思い出しながら、金城は田所の〝最後《さいご》の走り〟を目にやきつけていた。

※福富《ふくとみ》があやまりに…『小説《しょうせつ》 弱虫ペダル』第４巻参照《かんさんしょう》

田所!!
ありがとうと言うのはこっちだ!!
オレはおまえと走れた三年間に感謝《かんしゃ》している。
最高《さいこう》の仲間《なかま》や先輩《せんぱい》、そして後輩《こうはい》にめぐまれたことに。
田所、巻島《まきしま》!!　総北《そうほく》は最高のチームだった!!

田所に引かれた総北は、箱根学園《はこねがくえん》をすごいいきおいで追いかける。
ペースが上がって少しずつ、その差《さ》をつめていく。一年三人にも、田所がもえつくすつもりでペダルをふんでいることがつたわってきた。

「オラオラオラオラ、もうすぐだ!!　ぜったいにハコガクに追いついてやるぜ!!　オレが!!」
田所がそうさけんだときだった。

ふいに金城《きんじょう》の顔がゆがんだ。

!!!

ここで……?

まさか……

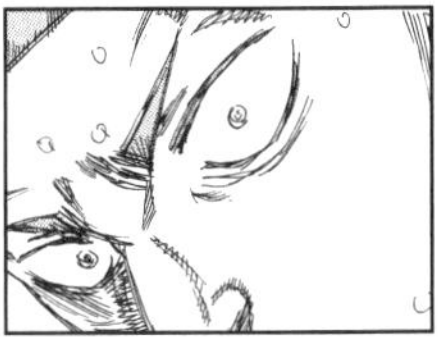

金城のこめかみからひやあせがひとすじ、ツーと流れた。

左ひざが……

ズキン……

そんなことに気がつかず、田所はますます飛ばす。

さらば、田所

田所は金城《きんじょう》と代わって総北《そうほく》の先頭に出たときに、もえつきるかくごを決めていたのだ。

田所は心の中で、一年の鳴子《なるこ》にメッセージを送っていた。

オイ!! 赤頭《あかあたま》!!
見てるか、赤頭、うしろから。
きざめよ、赤頭。

オレは金城と巻島《まきしま》と三人で、
この総北を強くした。
おまえはこれから、おまえの
仲間《なかま》と総北をもっと強くするん
だ!!

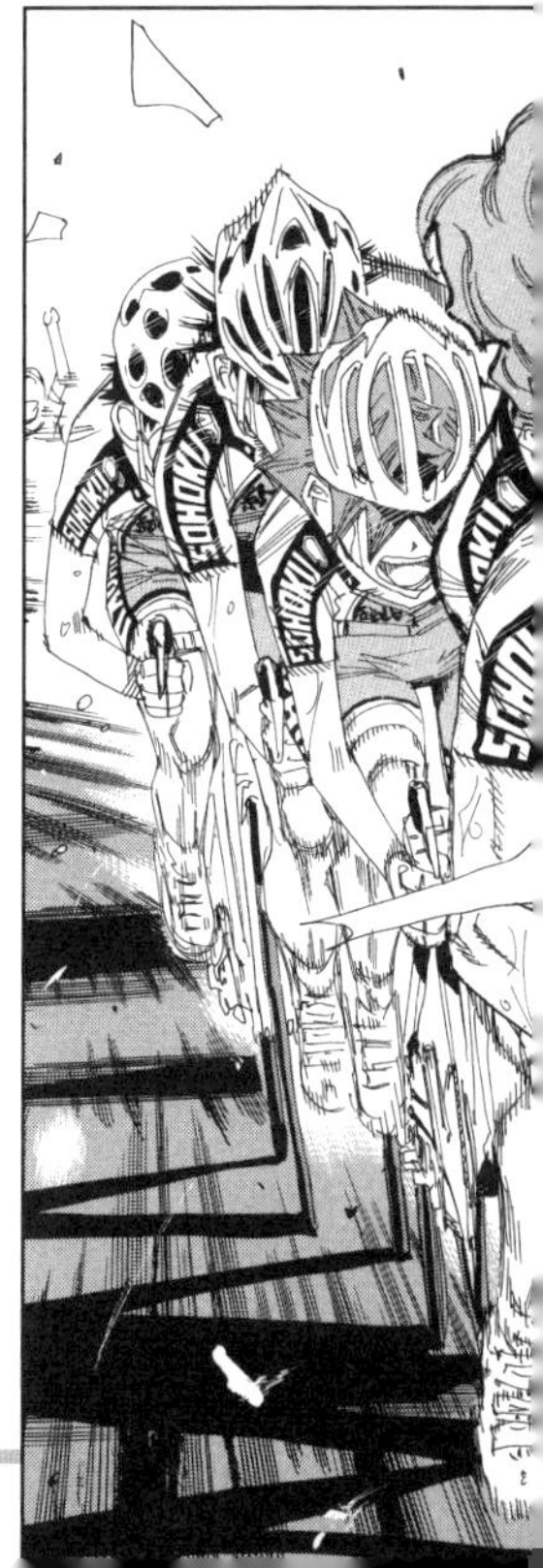

オラオラオラ!!
おおおおらァァ

「すげーー!!」

「総北、速《はえ》ええ!!」

「超絶《ちょうぜつ》スプリントオオ!!」

沿道《えんどう》のファンがこぶしをつきあげた。

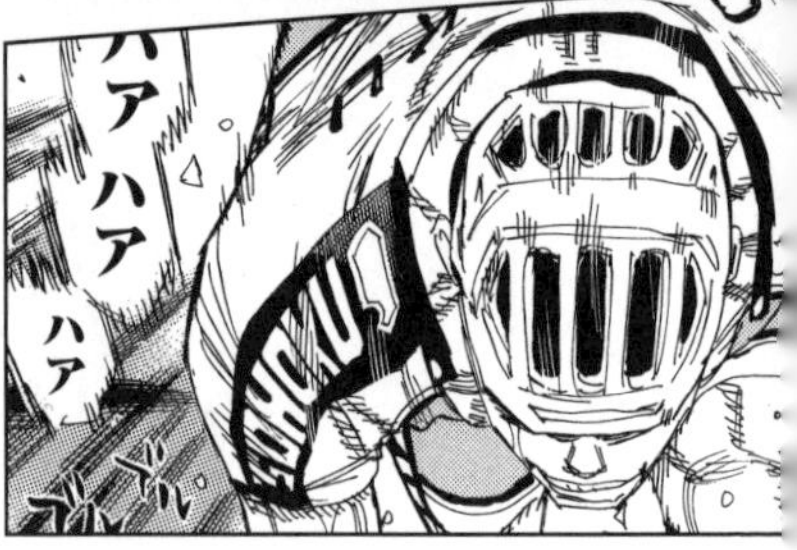

ハァ　ハァ　ハァ　ハァ　ハァ　ハァ　ハァ　ハァ　ハァ

オラ…オラ…

限界《げんかい》が近づいてきた。田所のエネルギーがつきようとしていた。

もげる!!
足がもげる!!

さんそがたんねえ。
いくらすってもたんねぇ!!

分解《ぶんかい》しそうだ、足。もげそうだ。
けど、ハンドルにしがみつけ。
ペダルをふめ。
チームを引っぱる、最後《さいご》の「ゴール」だ。

最後に、ほえるように、

「オレは田所迅《たどころじん》。暴走《ぼうそう》の肉弾頭《にくだんとう》。根性《こんじょう》だけは、だれにも負けねえ!!」

とさけんだ。


「オッサン――――!!」

鳴子《なるこ》は田所の最後の走りを見ながらないていた。

スーパーハイペースにふり落とされないように必死《ひっし》でペダルをふみながら、なみだがあとからあとから出てきていた。

田所はここでちるつもりだ。そのかくごが一年生につたわってきた。

「田所さん!!」

背中《せなか》を見つめていた坂道がさけんだ。

田所は、青いジャージの箱根《はこね》学園《がくえん》に少しずつ近づいていく。

「総北《そうほく》は山まで残り五百メートルで、箱根学園の車列《しゃれつ》をつかまえた!!」

実況《じっきょう》アナウンサーが声をからした。

箱根学園の四人がふり向いた。

田所さん!!
今泉《いまいずみ》もあっとうされている。

クソカッコエエっス!!
鳴子《なるこ》はそんけいの言葉をきざんだ。
ムリだと思った差《さ》を、
どたんばでなくした!!

オラァァァァァ

「ハコガクとならんだァ!!」

「総北《そうほく》、すげえ‼」
ベロをゆらしながら先頭を走る新開《しんかい》と、巨大《きょだい》な体をまるめて引きまくる田所の顔がついにならんだ。
「山の手前まで残り二百メートル！」
「この勝負、マジでどっちがとるかわかんねェ‼」
ファンがぜっきょうした。
ほらな
金城《きんじょう》
巻島《まきしま》
やくそく、はたしたぜ。

最高《さいこう》のポジションまで
ジャージを運んだぜ。

田所はニヤリとわらった。

そのときだった。


「あああーーーーーーーーーーーーー」

沿道《えんどう》から、ため息《いき》となげき声がひびいた。

「田所失速《たどころしっそく》!!!」


一人だけおくれていく。

糸の切れた、たこのように、ふらふらと下がっていく。

いつもきびしくも、かわいがってくれた田所のふところの深さが思い出される……。

「オッサァァン‼」

鳴子《なるこ》の声がむなしくひびいた。

「……たのむぜ、ゴール……巻《まき》……金……」

最後《さいご》は言葉になっていなかった。

田所は力つきた。

そして今、田所の直後にいた金城《きんじょう》が、新開《しんかい》と自転車をならべている。

田所はどんどんと下がっていく。

田所は脱落《だつらく》した。

勝負はついた

レースは山に入る。

「総北《そうほく》のスプリンターが落ちたぞ。でも……箱根学園《はこねがくえん》と総北がならんだーーーー!!!」

「いよいよ山だ、両チームとも山のエースが飛び出すぞ」

「だれが出るんだ?」

「ハコガクはエースと、クライマーが二人いるぞ!!」

青のジャージ、箱根学園は、直線鬼《ちょくせんおに》の新開がスッと下がり、エースクライマーの東堂《とうどう》が先頭、そしてもう一人のクライマー一年の真波《まなみ》、そのうしろにエースゼッケンの福富《ふくとみ》というフォーメーションで山岳《さんがく》アタックに出た。

HAKOGAKU
GAKU

KANAGAWA

観客《かんきゃく》からは、

「ハコガク、スキがねぇ!!　メンバーがあつい!!!」

「最強《さいきょう》の布陣《ふじん》で山を制《せい》する!!」

と声があがった。

「総北《そうほく》はァ!?」

「オイ金城、出るっショ、オイ!!　どうして……」
巻島《まきしま》が声を出した。
総北のクライマーといえば巻島だ。ここで出番《でばん》だ。ここで本領発揮《ほんりょうはっき》。
エースの金城を連れて、前に……。

「――――!!

まさかショ!!」

巻島はハッとした。金城が苦しそうな表情《ひょうじょう》をうかべている。

ロードレースは
これほどまでにざんこくなのか。

金城《きんじょう》はうつむいたまま、そうつぶやいた。

沿道《えんどう》のファンは、
「総北は、だれも出ない!!」
とざわめいた。

なんで総北はアタックしないのだ!!

ズキン。

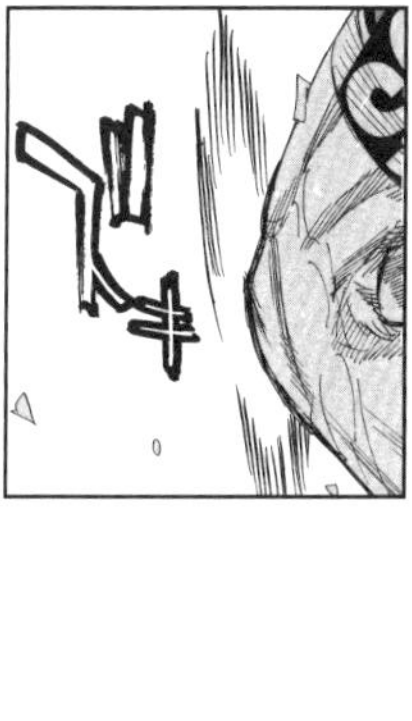

エースの終わり

出ろ!!

出ろ!!

今だ。
今が勝負のときだ!!
左足が動かないなど
と言ってる場ではない!!

「うおおおお!!」

金城《きんじょう》が決死の表情《ひょうじょう》でさけんだ。

「行くぞー、巻島《まきしま》ーーっ」

「ショオ!!」

「やっと動くぞ、総北《そうほく》!!」

観客《かんきゃく》がわく。


田所が命がけで引いてくれた。

六人全員の力でここまできた。

ここでつみあげてきたチャンスをすてるわけにはいかないんだよ!!

金城は、ぎりりぎりりと重いペダルをふみしめ始めた。

観客は待ってましたとばかりに歓声《かんせい》をあげた。

「二人、出たーー!! エース金城とクライマー巻島だ!!」

「やっぱ最後《さいご》は三年だァ!!!」

「うおおおおおおおおーーーーーーー!!!」

いつものれいせいさをかなぐりすてて、金城《きんじょう》はけもののようにほえた。


くそー。

「激痛《げきつう》」「困難《こんなん》」「試練《しれん》」

それが運命ならば
あらがえ!!　あらがえ!!

金城真護《きんじょうしんご》!!

「行くぞ巻島《まきしま》!!　最後《さいご》の勝負だ!!　ぜったいにこのジャージをゴールにたたきこむぞ!!」
オレはぜったいにあきらめ――ぜったいにあきらめない男だ!!!

残りたったの二十キロだ。
動けよ、左足!!

しかし、左ひざがこれまで
感じたことのない、ぶきみな
振動《しんどう》を起こしていた。

ビリビリ　ビリビリ
ギリギリ　ギリギリ
グッ　グッグ

「金城!」

巻島は異変《いへん》を感じてうしろをふり返った。

金城がついてこない。スパートしない。

「おい……オイ……ヒザか……ウソだろ……こんなところでか。
うそだろ、金城《きんじょう》おお!!」

「うおおおおおおお!!!」

金城はくやしくてほえた。

なぜ、「今」なんだ。

もっともだいじな最終局面《さいしゅうきょくめん》を前にして――

なぜ……動かない！

「くそ!!」

金城は右手で顔をおおった。

レースは終わった。
オレがすべてだいなしにした。
つんできた三年間――、
手にとどきそうだった一年前の第二ステージ。
切れそうな糸をつむぎながら、
六人で闘《たたか》ってきた
この三日間――……

肉体《にくたい》、意志《いし》、運《うん》、
すべてを使っても　箱根学園《はこねがくえん》には勝てなかった――。
そのとき、福富《ふくとみ》はライバルの異変《いへん》に気づいた。
金城《きんじょう》……!!!

東堂《とうどう》が福富に
「福富《フク》、総北《そうほく》は……」と言った。

「エース金城か」

「ああ」

「昨日《きのう》の最後《さいご》のスプリントでだろう。そこでいためたのだろう。

これで総北は、巻島《まきしま》一人ではとうてい、オレたちとは勝負できない。

勝負はついた」

東堂は
「総北……ここまでか……」
ざんねんそうにつぶやいた。
「東堂、全速力《ぜんそくりょく》でゴールまでいけ。
それがせめてもの、金城へのたむけだ」
福富がけわしい表情《ひょうじょう》で指示《しじ》を出した。

ガアアアアアアアアアアア――――

箱根学園の速度《そくど》が上がった。

「出た、山神《やまがみ》・東堂の神引きだ！」

「速《は》っええ、ここ登りだぞ⁉」

「すげぇ、どんな足をしてんだ？」

切りはなし

金城《きんじょう》はずっと顔をおさえたままこいでいた。
なみだとあせがまぜこぜになって焼けたアスファルトに落ちる。

「のぞみをすてるな」

金城の耳にそんな声が聞こえた気がした。

「すてるな」

!?

む？

なんだ？

だれだ？

なんだ、このわきあがるようなプレッシャーは!!

金城はうしろをふり向くやいなや、力強くガシッと肩《かた》をつかまれた。

声がした。

「だいじょうぶですか？　金城さん。

頭がいたいんですか？」

その手は、坂道の手だった。

小野田!?

金城は自分の目をうたがった。

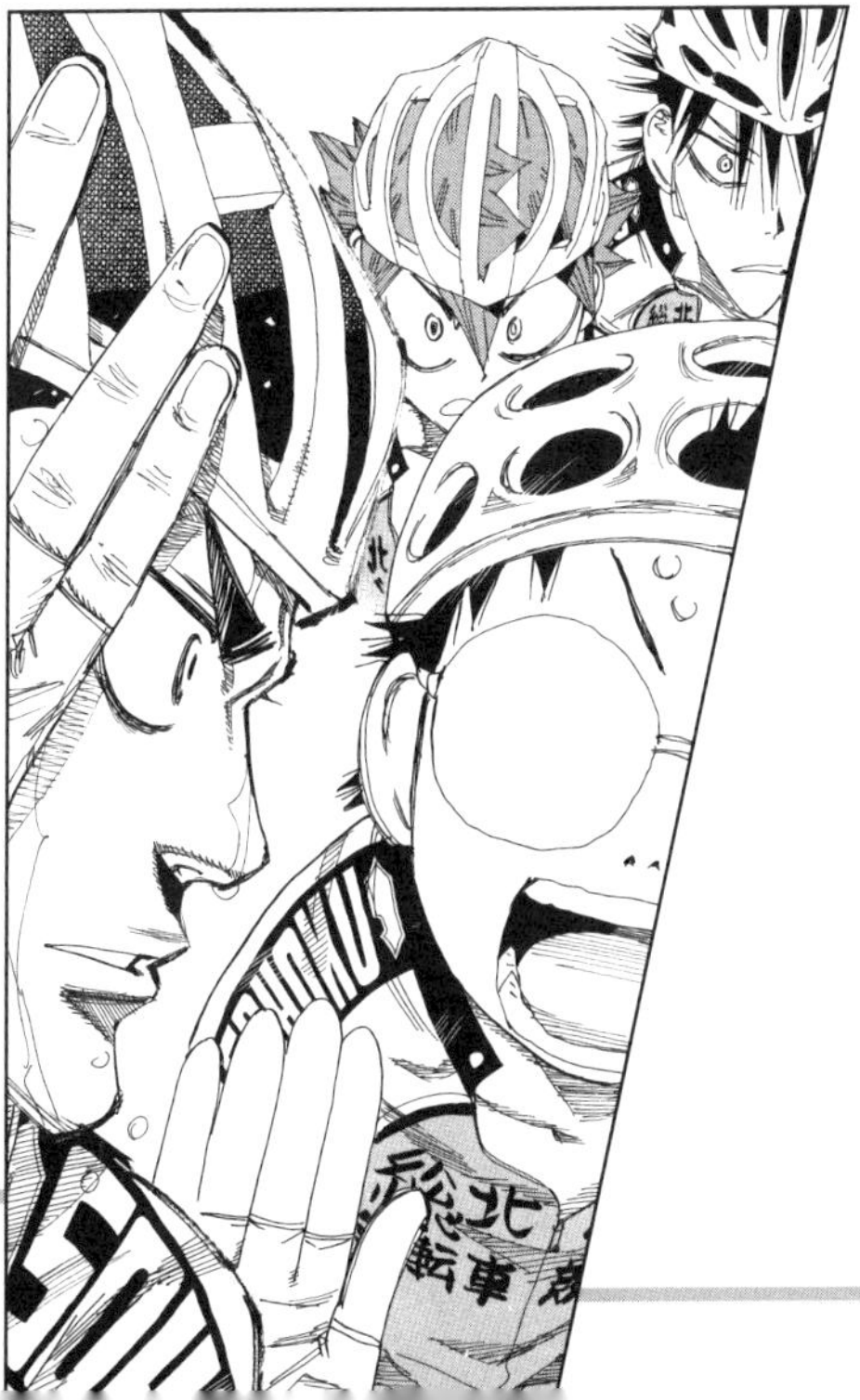

まさか、小野田か。

坂道が金城《きんじょう》の肩《かた》に手をおいていた。

そして、たどたどしく、

「いや、あのっ、すいません。頭をかかえていたので……、ひょっとしたらって……」

と言った。

鳴子《なるこ》が、

「いやいや、ワイはとめたんですよ、最後《さいご》の飛び出し前で集中しているだけやって」

と言った。

今泉《いまいずみ》が、

「おまえは、金城さんはウンコをがまんしてるんじゃないかと言ってたじゃないか」

「じゃーかしっ、それはジョーダンやないかい。んなわけあるかい、エースやのに」

坂道が、
「あの……以前《いぜん》に……たおれたらささえろって、言っていたので……それで声をかけました」
と言った。

そういえば……

金城は、前にクタクタになってしょげてうつむいている坂道のジャージをつかんで、おこしたことを思い出した。たしかに言った。
「一人でがんばるひつようはない。おまえがたおれたら、オレがささえる。ほかのやつがたおれたら、おまえがささえろ」

こいつら――……。

金城《きんじょう》のひとみに希望《きぼう》の光が

かすかにともった。

ささえる……。

オレさえもわすれていた……。

このジャージは、

六人全員のジャージなんだ。オレ一人のジャージではない……。

金城は自分のジャージをぐっとつかんで、しずかに、しかし力強い声で言った。

「鳴子《なるこ》、小野田、今泉《いまいずみ》。残りゴールまで二十キロ。オレたち総北《そうほく》は勝てると思うか!!」

すぐさま、

「当然《とうぜん》でしょ」と鳴子が、
「はい」と坂道が、
「ぜったいに」と今泉が答えた。
金城は一年三人を見ると、なっとくがいったように、
ゆっくりニヤリとした。
わきあがるプレッシャー……オレにかけてきたのは……そういうことか。
おまえらか、一年!!
「巻島《まきしま》、よく聞け、今からオーダーをへんこうする!!」
「ショ?」
思わぬ金城のひざのこしょうで、がっくりきていた巻島は、
その声の力強さにおどろいた。

一年も、

「えっ」
「作戦《さくせん》へんこう⁉」
と、みんな頭にはてなマークをうかべた。

「ここでですか⁉」
「そうだ。そしてこれはぜったいに完遂《かんすい》しろ‼」
金城はど迫力《はくりょく》で一年生をにらみつけた。

金城《きんじょう》さん‼　まさか——

坂道は、ふと、金城が左手でヒザを
おさえていることに気がついた。

最後《さいご》の作戦《オーダー》

金城はその左手を、天高くあげると、

「作戦《オーダー》だ、一年!!」

とよびかけた。

「巻島《まきしま》とともに山を登れ!!　そしてだれでもいい、このジャージをゴールにだれよりも早くたたきこめ!!」

「ショオオ!!」

とすぐに巻島が返事をした。

「ゴ……」

「山を……」

「ボクたちが…」

一年は混乱《こんらん》した。

坂道は、体の中の血がうずまき始めた気がした。
つまり……それって……。
金城《きんじょう》は、手ばなし運転をしながら、両手で、
鳴子《なるこ》と坂道の肩《かた》をだいた。

「チャンスは一度だ。ぜったいにのがすな。
さがせ、
つかめ、
引きよせろ」
言いふくめるように耳元でささやいた。
「敵《てき》は箱根学園《ハコガク》。最強《さいきょう》の布陣《ふじん》だ。だがやれるはずだ。想《おも》いをつなげ。
オレと田所の想いも、もっていけ」
と言うと、バシンと今泉《いまいずみ》の背中《せなか》をたたいた。

「成長しろ、まだやれるはずだ、今泉俊輔《いまいずみしゅんすけ》‼」

「鳴子章吉《なるこしょうきち》、まだ目立ちかたがたりないんじゃないのか。あと残り二十キロある、はでに目立ってこい‼」

「小野田坂道‼　まだ走れ‼　役割《やくわり》はある。ゴールまでだ。心配することはない。おまえが今までやってきたことを、そのままやればいい」

金城は、入部当初《にゅうぶとうしょ》よりたくましくなった一年生レギュラー組の顔を見た。

「オレたちの三年間を——巻島《まきしま》を、たのんだぞ」

「はい‼」

これがキャプテン金城の最後《さいご》のオーダーだ。

「金城ォ……」

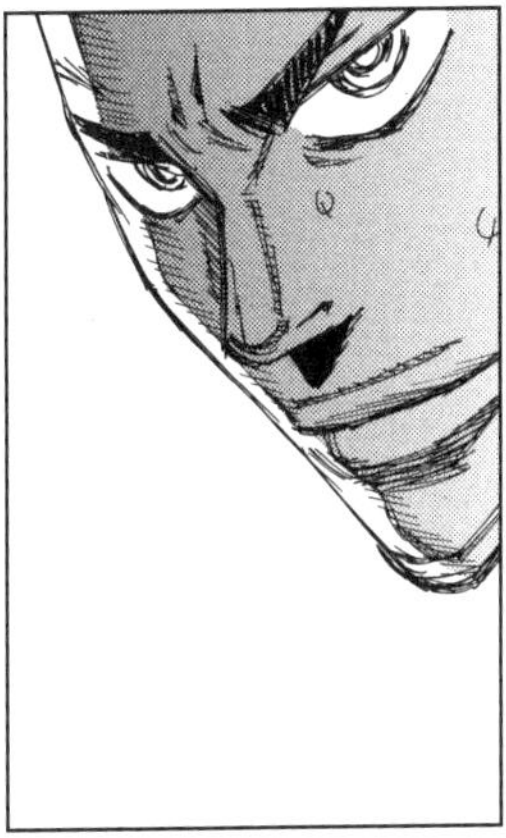

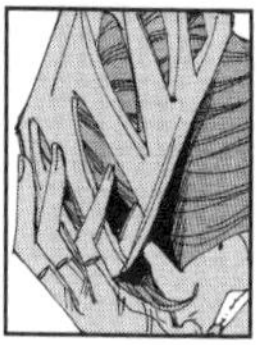

それを聞いた巻島《まきしま》が引きさかれるような思いで顔を手でおおった。

「行け」

金城《きんじょう》の最後《さいご》の言葉はシンプルだった。

「ぜったいにあきらめない!!
それがチーム総北《そうほく》だ!!」

「はい!!」

「ショオ!!」

その返事とともに、金城以外の四人がスッと飛び出した。

「あああああああああああ」

まずは、坂道が黄色いジャージの先頭に立って引き始めた。

「派手上等《デーハーじょうとう》‼　見せたりますよ、金城さん」

鳴子《なるこ》がうしろにつける。そこへ、

「成長しますよ、当然《とうぜん》‼」

今泉《いまいずみ》がのっかかるように速度《そくど》を上げた。

それを見た沿道《えんどう》のファンが、

「総北、おくれてやっと出た！」

とさけんだ。

「ていうか、まてよ、あの三人、たしか一年生だぞ！」

どよめきをかくせない。

「ハコガク相手に一年じゃあ……エース、おいていったぞ」

「レースをすてたのか……総北《そうほく》」


そんな声など聞こえないかのように、巻島《まきしま》はしずかに気合を入れていた。


まかせとけヨ。

金城《きんじょう》ォ‼　やってみせるショ。

オレはイレギュラーがとくいなんだ‼

「金城さん‼　くそ。リタ……」

鳴子《なるこ》がなげいた。

すぐに今泉《いまいずみ》が、

「鳴子、それ以上《いじょう》は言わなくていい。オレたちは、たくされたんだ」

「ああ！」

「それを知って、前に進めばそれでいい‼」

そこで、巻島が士気《しき》を高めるように声をあげた。
「行くっショ‼　一年‼　ハコガク追うぞ‼」

その後、沿道《えんどう》のファンが目にしたのは、しょうげき的な絵だった。
「総北《そうほく》……エースがバイクをおりてる」

◆

金城《きんじょう》が自転車をおり、ヘルメットをしずかにぬいだ。

左ひざがいたむのか、地面に左足をつけることができない。うつむいて、肩《かた》で大きく息《いき》をしている。

「ケガ……かな」

「残り二十キロで、リタイアか……」

「くやしそう……」

金城にはファンの声が聞こえただろうか。あたりには、ハァ、ハァと彼《かれ》が息をはく音だけがひびいた。

リタイアシーンはざんこくだ。

金城は、うつむいたままで、なんとか考えをまとめようとした。

「なぜ、こんなところで」と天をうらんでみたが、
山に入る手前のこんなところだったからこそ
まだ想《おも》いがつながったのかもしれんな……。

金城は一人、そんなことを考えた。
やつらは……一年と巻島《まきしま》は行ってしまった。

想いをつなげろ！
オレたちの勝負はまだ終わっていない‼

「とどけ‼　総北!!!」
にぎりこぶしを前につき出す金城であった。

（続く）

C O L U M N

これでキミも自転車通《つう》!

012

自転車のハンドルにつけて、自分が今、どんな走りをしているのかを確認《かくにん》できる「サイクルコンピュータ（サイコン）」。選手《せんしゅ》はかならず使っているよ。どんな役目があるのかチェックしてみよう!

ストーリーの中には、出てこないけれど、レースを走る選手はかならず、サイクルコンピュータをつけているよ。どんな役目があるかというと、速度《そくど》はもちろん、走った距離《きょり》、ケイデンス、心拍数《しんぱくすう》、消費《しょうひ》カロリーなどを表示《ひょうじ》してくれるので、自分がどれくらいの速度で、どれくらい走ったか、どれくらいつかれているか、などがわかるよ。

こんな機能《きのう》がある

- **GPS機能・ナビ機能**…目的地までの走行ルートを表示したり、走行ルートを記録《きろく》したりする。
- **速度計測《そくどけいそく》**…速度がわかるので、一定のペースで走りたいとき、スピードを出しすぎないようにするときなどに役立つよ。

- **ケイデンス**…一分間のペダル回転数がわかれば、こうりつのいい走りができる。
- **心拍数**…自分の心拍数を知っていれば、トレーニングに役立つよ。

こんな仕組み

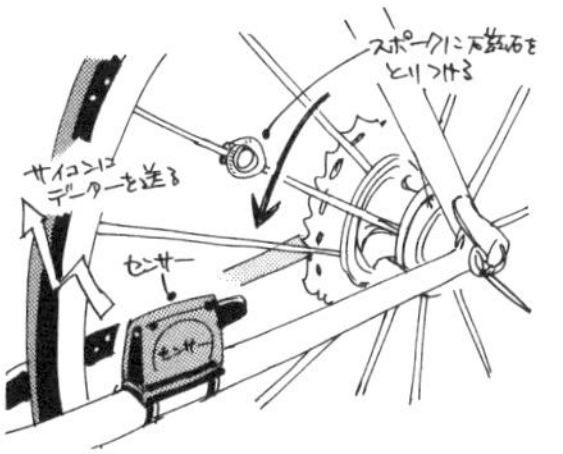

スポークに磁石をとりつける
サイコンにデーターを送る
センサー

自転車のハンドルにつけた本体（数字などがディスプレイされる面）に、車体につけたセンサーが感知した情報《じょうほう》が送られてくる仕組みになっていて、有線接《ゆうせんせつ》続《ぞく》タイプとワイヤレス接続タイプがある。どうやって速度や距離をはかっているかは、イラストを見てね。

どんどん進化している

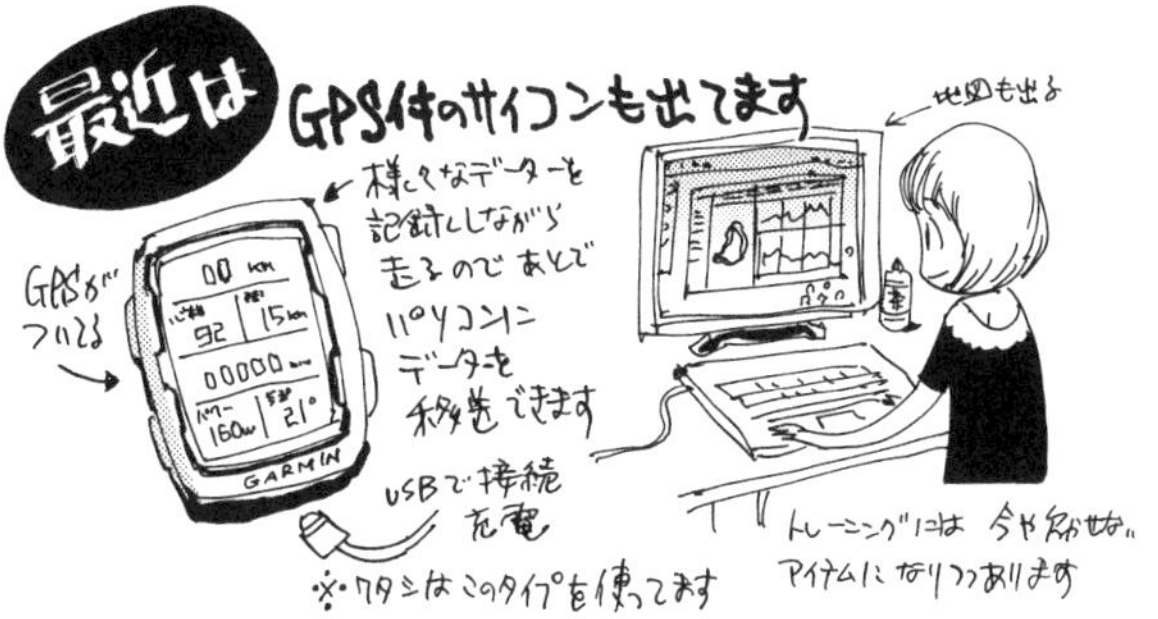

最近は
GPS付のサイコンも出てます
地図も出る
様々なデーターを記録しながら走るのであとでパソコンにデータを移送できます
GPSがついてる
GARMIN
USBで接続
充電
※ワタシはこのタイプを使ってます
トレーニングには今や欠かせないアイテムになりつつあります

Attention

自転車のヘルメット着用が「努力《どりょく》義務《ぎむ》」になったのは知ってるよね！坂道たちのようにかっこよく、ヘルメットをかぶって安全走行しよう！

自転車用ナビゲーション
なんてのも出てます
タッチパネル
コンビニも表示!
トイレも表示!

[原作者]
渡辺 航（わたなべ　わたる）
漫画家。長崎県出身。MTBやロードバイクなど自転車をこよなく愛し、『弱虫ペダル』の連載を続けながら、多くのアマチュア自転車レースに参戦している。

[ノベライズ]
輔老 心（すけたけ　しん）
ライター。兵庫県出身。『スーパーパティシエ物語』『いやし犬まるこ』（いずれも岩崎書店）など著書多数。

AD　山田 武　　協力　渡邊まゆみ
編集協力　秋田書店

フォア文庫

小説《しょうせつ》 弱虫《よわむし》ペダル12

2023年6月30日　第1刷発行

原作者　渡辺 航
ノベライズ　輔老 心
発行者　小松崎敬子
発行所　株式会社 岩崎書店
〒112-0005 東京都文京区水道1-9-2
電話　03-3812-9131（営業）　03-3813-5526（編集）
00170-5-96822（振替）
印刷・製本所　三美印刷株式会社

ISBN978-4-265-06582-0　NDC913　173×113

Published by IWASAKI Publishing Co.,Ltd.
Printed in Japan

岩崎書店ホームページ　https://www.iwasakishoten.co.jp
ご意見をお寄せください　info@iwasakishoten.co.jp
乱丁本・落丁本はお取り替えします。